Le présent ouvrage est présenté afin de venir en aide à tous ceux et celles
qui désirent connaître les rudiments de la sculpture sur bois. Les démonstrations, les sujets et les œuvres contenus dans ce volume ne
peuvent faire l'objet de copie, en tout ou en partie, dans un but lucra-
tif, sous peine de poursuite judiciaire.

Photo de la page couverture et celles des pages 90, 96, 111, 115, 124,
136, 155, 203, 206, 207 et 208 par Conrad Toussaint, photographe.

Dépôt légal : 2e trimestre de 1982
Bibliothèque nationale du Québec

Dépôt légal : 2e trimestre de 1982
Bibliothèque nationale du Canada, Ottawa

ISBN 2-9800141-0-9

BENOI DESCHÊNES

La gouge magique

Éditions PORT-JOLY

Courtoisie *Le Festival du Voyageur*, Saint-Boniface, Manitoba. L'auteur, Benoi Deschênes achevant un voyageur en bois de pin.

Remerciements

L'auteur exprime sa reconnaissance aux personnes suivantes qui ont prêté leur concours à la réalisation de cet ouvrage :

Agathe Gaudreau, mon épouse ; Clermont Gagnon, sculpteur, assistant aux exercices et démonstrations ; Alain Duhamel, journaliste *Le Devoir* ; Conrad Toussaint, photographe à Saint-Jean Port-Joli ; Francine Caron, secrétaire ; Jacques Ouellet St-Hilaire, adaptation ; Simon Fortin, consultation ; Michel Chassé, journaliste *Peuple-Courrier* et plusieurs sculpteurs de Saint-Jean Port-Joli.

Ce présent ouvrage a été tiré en première édition en 1982.

Édition Port-Joly, 1995 pour la présente édition.

Table des matières

PREMIÈRE PARTIE

Le bois

DEUXIÈME PARTIE

L'atelier

TROISIÈME PARTIE

Préparation de la matière

QUATRIÈME PARTIE

Exploration

CINQUIÈME PARTIE

Le dessin

SIXIÈME PARTIE

SEPTIÈME PARTIE

Finition et traitement

HUITIÈME PARTIE

Sujets particuliers

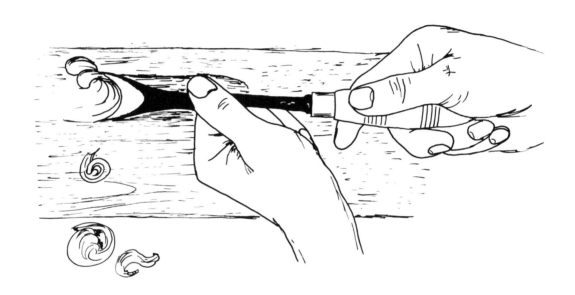

Avant-propos

La sculpture sur bois a été longtemps réservée à des professionnels qui suffisaient à une demande restreinte du public. Peu de gens achetaient des objets sculptés en bois. Le métier lui-même apparaissait comme une aventure, dont l'incertitude d'en vivre convenablement faisait fuir de nombreux candidats.

Aujourd'hui, grâce à l'encouragement du public, les adeptes de la sculpture sur bois peuvent espérer mettre à profit leur talent et le goût de bien faire. La sculpture sur bois fascine le travailleur manuel et suscite le désir de s'exprimer. Plusieurs choisissent ce moyen d'expression comme passe-temps favori. C'est pourquoi le présent ouvrage traite des différentes techniques avec le plus de clarté possible, afin d'aider ceux et celles qui désirent s'orienter dans ce merveilleux mode d'expression.

Il serait prétentieux d'affirmer que cet ouvrage soit complet; au contraire, il faut y consacrer beaucoup de temps, d'énergie et de patience pour réaliser seul ces objets en bois que vous désirez depuis longtemps faire de vos mains. La **Gouge Magique** a pour but de vous guider et de vous conseiller dans les étapes à franchir. J'ai été tenté de vous offrir une partie du volume en croquis, modèles et plans, avec certains degrés de difficultés, mais je crois qu'il contredirait les objectifs de ce travail : connaissance technique, incitation à la créativité.

La sculpture sur bois exige une habileté manuelle; la pratique quotidienne rendra la main plus souple. Des exercices sont recommandés pour le débutant. Choisir des sujets simples avant de se lancer dans des projets trop élaborés. Au besoin, répéter certains exercices. Par exemple, une figure proportionnée, expressive, s'obtient par la pratique. Le dessin aide beaucoup à un mode d'expression personnel.

Tout métier requiert de l'entraînement. J'ai dû en faire des copeaux de bois avant de produire quelque chose de satisfaisant ! Je me souviens aussi combien fut long l'apprentissage de l'affûtage des outils. Je recommande d'être patient et de vérifier la source d'une difficulté.

Faites connaissance avec le bois, un matériau noble, mystérieux et invitant à explorer. La sculpture sur bois est un vieux métier. Les outils sont les mêmes qu'autrefois. À l'exception de la machinerie de préparation, rien n'est différent des méthodes tradidionnelles.

Je rends hommage à tous ces sculpteurs passés et présents qui œuvrent et qui ont œuvré dans ce domaine.

Benoi Deschênes

10

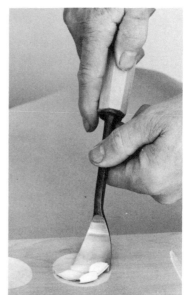

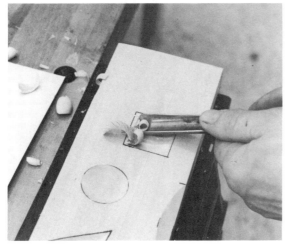

1. Treasures of Toutankhamun I.E.S. Edwards

Petite histoire de la sculpture sur bois

> "L'art, à son tour, n'est qu'un mode d'expression particulier de l'homme, le reflet de l'esprit qui définit et anime une époque dans toutes ses manifestations."
>
> (L'ART ET L'HOMME, Larousse, 1958)

La sculpture du bois est un art qui a été presque oublié quelque temps. Il faut se rappeler comment elle était appréciée de nos ancêtres. Nos musées renferment des œuvres magnifiques. On a qu'à examiner les reliefs, les meubles et les statues qui ont été conçus et réalisés par des hommes de différentes époques.

Les trésors de TOUTANKHAMON renferment plusieurs œuvres d'art, vestige de l'Ancienne Égypte, découverts par Howard Carter en novembre 1922. La tombe retrouvée remonte à plus de 3 200 ans avant notre ère. Sortie du lit des temps, l'effigie de TOUTANKHAMON, sculptée d'un seul morceau de bois, confirme la pratique ancienne de ce vieux métier.[1]

Si l'on suit l'histoire, la sculpture sur bois connut une popularité tantôt vive, tantôt lente. Le marbre et la pierre permettent une meilleure longévité. Par contre, le bois est vulnérable au feu, à la détérioration par le temps. Nous avons sûrement perdu plusieurs chef-d'œuvres en bois sculpté. Il en reste pourtant assez pour découvrir avec quel soin on s'appliquait à décorer les maisons du culte, les palais et les châteaux.

Au Québec, le bois abonde et les Amérindiens savaient l'utiliser de plusieurs manières : l'habitation, les armes de chasse, les canoës, les ustensiles, etc. L'arbre entier était vite devenu un superbe totem à l'image de leur vie.

Au XVIe siècle à l'arrivée des premiers "Blancs" en Nouvelle-France, le bois prit une importance capitale, servant à la construction des premières habitations. La forêt abondante a créé la principale industrie du pays. Les sculpteurs trouvaient là aussi un médium parfait à l'exécution de travaux de décoration. Les meubles surtout en pin offraient l'occasion d'être sculptés à leur tour. L'apparition de plusieurs œuvres a été possible grâce au clergé de l'époque qui a encouragé les artistes à décorer les intérieurs des églises du Québec. "La Nouvelle-France doit à des clercs intelligents l'essor que la sculpture sur bois connut rapidement."[1]

Dans les milieux ruraux, le jouet de bois fit son apparition des mains d'habiles artisans : chevaux, chaises miniatures, mannequins dansants, moulins à vent pour les enfants de l'époque. En même temps, naissait l'artisanat du Québec, avec ces hommes et ces femmes qui ont su transmettre leur art à leurs descendants.

Quelques tentatives surgiront dans la fabrication d'objets profanes. La peinture, le bronze, l'orfèvrerie demeurent plus populaires. Mis à part l'art religieux et la sculpture ornementale, l'art profane se taillait difficilement une place chez les chercheurs d'œuvres d'art en bois sculpté.

En 1741, Jean Baillargé, architecte et sculpteur venu de Tours en France, s'installe sur le sol québécois. Il fallait trouver une main-d'œuvre spécialisée; à l'époque de la traite des fourrures et des guerres, les toits étaient de chaume et les fenêtres de toile ou de peaux remplaçant temporairement les vitres.

La construction avait besoin de bons ouvriers. "Les vieilles coutumes de France survivaient aussi parmi le peuple. Les églises étaient le forum de la vie publique; il fallait les décorer pour les exercices du culte. On n'épargnait rien pour les embellir suivant les goûts catholiques et français." [2]

1. Gérard Ouellet, écrivain, Saint-Jean Port-Joli.
2. Marius Barbeau, Au Cœur de Québec, Éditions du Zodiaque, 1934.

François Baillargé, fils de Jean, avait beaucoup de talent. Architecte et sculpteur né en 1759, il fut le premier artiste canadien-français. Florent, un autre fils, vient se joindre à l'entreprise familiale. Et dans la même lignée, on retrouve Charles et Thomas Baillargé.

C'était la crise dans le sens qu'il y avait plus de commandes que de main-d'œuvre. De ce fait, surgirent deux écoles des Arts et Métiers. La première école de sculpture et d'architecture fut fondée par Monseigneur de Laval à Cap Tourmente en 1675, sous la direction de monsieur Leblond, chef d'école. Un peu plus tard, en 1815, fut fondée une deuxième école à St-Vincent de Paul, aux Écores, à Montréal, avec Quévillon, chef d'école. L'école de Cap Tourmente était le reflet de la Renaissance française et s'appliquait à traduire dans ses sculptures la faune et les images de la Nouvelle-France. L'école de St-Vincent de Paul offrait un style Rococo, Louis XV.

Une certaine rivalité existait entre les deux. Les paroissiens avaient fort à décider lorsque venait le temps de choisir un style en particulier et chacun y allait de ses meilleurs arguments, écrit Marius Barbeau. Il arrivait qu'un sculpteur d'une autre école était mêlé à une deuxième. La voûte d'une église allait dans le Rococo, avec un rétable en corinthien.

La rivalité était grande, d'autant plus que le nombre de sculpteurs grandissait des deux côtés. Les sculpteurs de l'école Quévillon aimaient plus de liberté, plus de modernisme, plus adaptés à leur temps, du Louis XV à François Ier. Les Baillargé adaptaient avec discrétion le style Renaissance et gréco-romain, avec beaucoup de raffinement et d'homogénéité, dans un style qui prit des traits canadiens-français. Les deux étaient bien. La concurrence aidait à se tenir prospère.

La plus grande menace venait des paroisses qui adoptaient des plans de décoration avec des moulages de plâtre à l'italienne. On obtenait du grand détail, moins coûteux en temps et en matériaux. La réaction des sculpteurs traditionnels fut vive : on allait créer du chômage. De plus, la compétition augmentait avec l'arrivée du néo-gothique, que les Canadiens aimaient par goût de changement.

Les écoles ne formèrent plus de sculpteurs et le nombre d'artisans diminuait avec le manque de commande. Le dernier célèbre de cette période fut Louis Jobin, 1845. Il mourut à Ste-Anne de Beaupré à l'âge de 84 ans. Il a été statuaire et auteur d'une quantité considérable de sculptures. Il était de la Renaissance ; on le comparait à Michel-Ange ou à Donatello. Lui, il se disait un pauvre artisan de Québec. Il fit son apprentissage chez F.-X. Berlinguet. Le père de F.-X. était apprenti de Thomas Baillargé. Et je cite Marius Barbeau : "Les maîtres canadiens se relient les uns aux autres, dans un enchaînement qui ne connaît pas de rupture, depuis Monseigneur de Laval jusqu'à nos jours."

L'église de Saint-Jean Port-Joli est l'œuvre de ces grands sculpteurs. Le rétable est fait par les Baillargé, la voûte est de Chrysostome Perreault, Joseph Goupil, Eucher Tremblay et Amable Charron. Et Gérard Ouellet écrit : "Ces mains habiles furent donc les précurseurs des artistes et artisans qui allaient assurer la renaissance, ou l'essor, de l'artisanat à St-Jean Port-Joli, à partir des années 30."

Médard Bourgault fut très motivé par la décoration sculpturale de son église paroissiale. Doué dès son jeune âge, il choisit de devenir sculpteur, bon gré, mal gré, avec une famille de 14 enfants et, par surcroît, en pleine crise économique. En 1940, il dirige l'école de sculpture à Saint-Jean Port-Joli. Ses frères, Jean-Julien et André en firent autant par la suite, laissant leur grand frère s'exprimer à sa guise dans l'art religieux qu'il maîtrisait d'une façon remarquable. L'école d'André fut d'initier ses élèves à l'art profane, surtout avec le style traditionnel du folklore québécois. L'école de Jean-Julien a été de former des sculpteurs versatiles. On lui doit de merveilleuses fresques de la scène québécoise. Aujourd'hui, l'école dont les maîtres sont les fils des frères Bourgault, encourage la liberté d'expression, autant dans l'art moderne que dans le traditionnel.

Saint-Jean Port-Joli connut le même essor que du temps des écoles du Cap Tourmente et de St-Vincent de Paul. Les élèves s'établirent à leur compte, eurent des apprentis, le père enseignant à ses fils, etc. À la différence qu'un grand nombre s'établirent dans ce petit village champêtre de la rive du Saint-Laurent, lieu privilégié à la créativité.

Dès le début avec les frères Bourgault, Eugène Leclerc et sa famille fabriquaient des bateaux miniatures et madame Edmond Chamard et ses enfants firent de leurs métiers des milliers de chefs-d'œuvre tissés.

Que nous réserve la sculpture de demain? Y aura-t-il un retour aux sources, ou verra-t-on un style exceptionnellement nouveau, dont les générations de sculpteurs à suivre en seront autant marqués?

Photographie Musée du Québec.
Saint-Marc, H.O,495, Bois de pin et doré.
Oeuvre de Louis Jobin.

Photographie: Alphonse Toussaint.
Corpus M.915, Paroisse du Précieux-Sang,
Repentigny, 1964.
Médard Bourgault, sculpteur.

PREMIÈRE PARTIE

Le bois

Chapitre 1

LES ESSENCES DE BOIS   le pin blanc
le tilleul
le noyer cendré
l'acajou.

Les démonstrations contenues dans ce volume ont été réalisées pour la plupart avec ces essences de bois. Il est plus facile de s'en procurer dans nos régions nord-américaines et leur texture se prête bien aux projets. Les sculpteurs les apprécient particulièrement à cause de leur souplesse d'exécution.

Citons aussi le cèdre, le noyer noir d'Amérique, le chêne, le peuplier et le sumac, dont la texture et la teinte participent à la réussite de l'œuvre.

Les bois indigènes

Ces bois à essences variées poussent dans les zones tempérées. Ils sont généralement pâles. Le pin, le tilleul et le noyer cendré appartiennent à cette catégorie.

Les bois exotiques

Ils poussent dans des régions plus chaudes, tel que l'Afrique, l'Inde, l'Amérique du sud. Ils sont plus rares et parfois plus difficiles à se procurer. Notons dans cette catégorie le teck, l'ébène, l'acajou et le bois de rose.

Le pin blanc *résineux*

Conifère de l'est canadien, il peut atteindre une hauteur de 37 à 38 mètres (90 à 125 pieds) et un diamètre de 45 à 75 centimètres (1 1/2 à

2 1/2 pieds). Le pin est utilisé en ébénisterie, bois de charpente, construction de portes et fenêtres et murs de finition. Le sculpteur l'emploie pour les statues de grandeur importante et les tableaux en relief. Il est léger et son grain est accentué. Lorsque travaillé, il dégage un arôme dans tout l'atelier. Sa couleur miel doré et parfois rosée ajoute un cachet agréable à l'œuvre.

Il s'assemble bien par le collage et, séché correctement, les pièces collées demeurent stables, sans gauchir. Il résiste peu à la gouge, rendant ainsi le dégrossissage rapide. Évitez le pin pour des pièces délicates : il offre une faible résistance et peut éclater facilement. On le recommande pour les sculptures devant séjourner à l'extérieur, à condition de les enduire d'une protection hydrofuge à cette fin.[1]

La teinture donne de bons résultats et, si l'on désire garder l'aspect naturel du pin, une couche de cire en pâte ou d'un vernis clair suffit. Il foncera légèrement en vieillissant en conservant sa teinte originale. Sans enduit, il prendra un air vieillot prématuré, ce qui peut être exploité dans certains cas. C'est pourquoi, lorsqu'une pièce de pin inachevée séjourne longtemps à la lumière, la surface se patine d'une teinte grisâtre. Lorsque la pièce est retouchée à la gouge, le bois fraîchement coupé est plus clair et plus pâle. Souvent, il faut passer la gouge à la grandeur de l'œuvre afin d'obtenir une homogénéité des tons. Recouvrir la sculpture inachevée d'un tissu opaque lorsque le travail est mis de côté pour une longue période.

Le tilleul *feuillu*

Le tilleul d'Amérique peut atteindre de 18 à 21 mètres (60 à 90 pieds) et un diamètre de 45 à 75 centimètres (1 1/2 à 2 1/2 pieds). Le tilleul est sans contredit le bois le plus tendre et le plus agréable à sculpter. Il se prête bien à la statuette, à la murale ou aux objets délicats, mais n'aurait aucune résistance pour un meuble ou des objets soumis à de durs coups. Il se marque très facilement et a tendance à gauchir au contact

1. Voir septième partie : Finition et traitement.

de l'humidité. Très rétractile, on le recommande pour les œuvres d'intérieur seulement. Son grain fin et peu accentué laisse une apparence homogène.

Les travaux en tilleul sont généralement laissés à l'état naturel avec une protection de cire ou de vernis. Cependant, il accepte bien la dorure et la polychromie, mais il supporte mal la teinture à cause de son haut degré d'absorption. Nous le surnommons "bois blanc" à cause de la couleur pâle de l'aubier. Le centre de l'arbre est de couleur chair ou crème, plus ou moins claire selon les régions. Habituellement, le centre est noir et dur, rendant cette partie inutilisable pour la sculpture. Quelquefois, des veines noires ou brunes apparaissent accidentellement dans un madrier; on peut les éviter en examinant le bout du morceau frais scié, laissant voir un point foncé. Les taches blanchâtres et poudreuses constituent le signe d'un début de pourrissement imputable à un manque d'aération lors du séchage. On dit qu'il a *chauffé*. La gouge rebondit sans bien couper les fibres du bois et laisse l'impression d'un mauvais aiguisage. Malgré ces anomalies, le tilleul est recommandé pour la sculpture et spécialement pour vos premières expériences. Il se coupe facilement dans plusieurs sens et facilite l'exécution.

Le noyer cendré *feuillu*

On le surnomme aussi *noyer tendre* ou *noyer canadien* ; ne pas le confondre avec le noyer noir d'Amérique. Il peut atteindre 12 à 15 mètres (40 à 50 pieds) de hauteur et un diamètre de 30 à 75 centimètres (1 à 2 1/2 pieds). On le retrouve principalement au Nouveau-Brunswick, dans la Vallée du St-Laurent, le sud de l'Ontario et dans les états nord-est américains.

Il est généralement brun pâle, avec des tendances rougeâtres. Son cambium est très pâle. Plus tendre que le noyer noir d'Amérique, son grain est plus accentué. Les fibres sont brillantes et corsées, lesquelles, exploitées, donnent de bons résultats.

Moins capricieux aux conditions de séchage, il est vulnérable aux vers rongeurs. Sous l'action de la gouge, il dégage un arôme désagréable qui s'atténue rapidement. Il se colle très bien, mais son assemblage demande plus d'attention afin que les pièces jointes correspondent bien ensemble par l'agencement des *âges* du bois et de la teinte de chaque morceau. De préférence choisir des lamelles en provenance du même madrier ou de teinte similaire.

L'acajou *swietenia*

L'acajou croît dans les îles du golfe mexicain, en Inde, en Afrique, en Amérique centrale, pour ne citer que ces endroits. On l'emploie en ébénisterie pour des ouvrages délicats et très élaborés. Il est recherché pour son obéissance à la sonorité des instruments de musique.

L'acajou est plus dur que les essences précédentes. Le sculpteur l'affectionne particulièrement pour les rondes-bosses et la sculpture décorative. Sa finition peut donner un beau poli.

Chapitre 2

COMMENT CHOISIR SON BOIS

Coupe de l'arbre

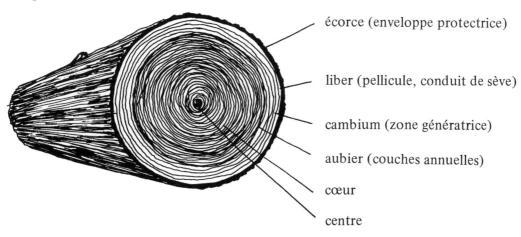

écorce (enveloppe protectrice)

liber (pellicule, conduit de sève)

cambium (zone génératrice)

aubier (couches annuelles)

cœur

centre

On utilise normalement un bois à grain uniforme, dépourvu de nœud, dont les fibres sont droites et serrées. Il doit être séché à point. On doit éviter les bois tachés ou pourris, ou présentant des lézardes dues à un mauvais séchage.

Éviter le bois *"vert"*, c'est-à-dire un bois d'arbre frais coupé. Il est juteux et fendille au fur et à mesure qu'il est dégrossi. Une technique spéciale existe pour ce faire, mais il est préférable d'utiliser un bois séché correctement avant de commencer vos travaux.

Prenez soin de choisir la qualité et les essences de bois appropriées. Tous les bois se sculptent; cependant, il y en a de plus coriaces que d'autres. Ils sont trop résineux, comme le sapin ou l'épinette, ou trop tendres, comme le cèdre. Ils exigent tellement de précautions qu'il vaut mieux s'en tenir aux sortes proposées dans ce livre, pour le débutant du moins : le pin, le tilleul, le noyer cendré ou l'acajou. Seule la pratique peut aider à discerner lequel s'adaptera le mieux à vos projets.

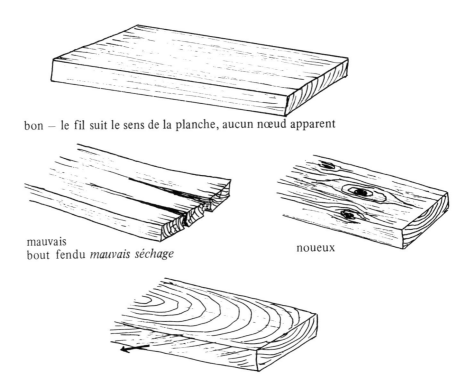

bon — le fil suit le sens de la planche, aucun nœud apparent

mauvais
bout fendu *mauvais séchage*

noueux

le fil du bois dévie trop vers le bas

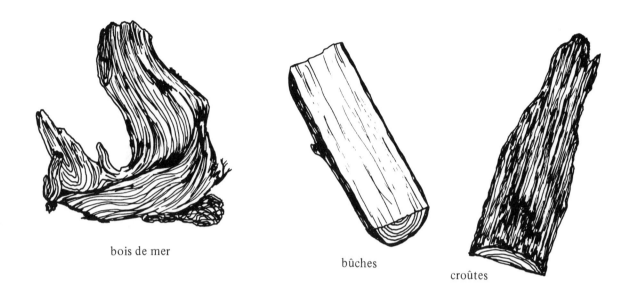

bois de mer

bûches

croûtes

Sources d'approvisionnement

La débrouillardise dépanne souvent ceux qui ont de la difficulté à trouver du bois dans le commerce. La créativité ne s'en porte que mieux. Voici quelques suggestions d'approvisionnement qui pourraient être à la portée de la main :

Chûtes de bois *(usines de transformation, fabriques, ...)*

Planches à tablette de pin ou de peuplier *(quincaillerie ou autre)*

Partie de vieux meubles ou poutres non utilisables *(pin, acajou, etc.)*

Pieux de cèdre hors d'usage, bûches

Bois de mer *souvent très dur*

25

Bois dans le commerce

Les dépositaires de bois offrent aux consommateurs toute une gamme de bois à essences et aux dimensions variées. Il faut savoir quelle qualité choisir et connaître les parties nuisibles à la sculpture. Même si le bois est beau et excellent pour un travail de menuiserie par exemple, il ne convient pas nécessairement à la sculpture. Il faut aussi accepter d'acheter une quantité de bois avec dix à trente pour cent de perte selon la qualité offerte. Plus le bois est d'excellente catégorie, moins il y a de perte.

Le sculpteur doit aussi savoir utiliser de façon efficace un matériau de moindre qualité. Les meilleures parties servent à la sculpture principale alors que celles présentant des nœuds ou étant plus dures peuvent devenir des éléments de la base ou d'un fond, sans altérer l'aspect de l'œuvre. Un nœud ferme peut parfois rendre la sculpture très intéressante si l'on sait l'exploiter. Une petite réserve de bois est toujours utile. Les restes sont conservés et constituent un potentiel excellent pour des projets futurs ou pour un recyclage du collage.

Bois d'usine

La scierie reçoit le bois de grumes de différentes longueurs. Il est dépouillé de son écorce et débité en morceaux aux dimensions variant selon la qualité de la bille et de la demande. La plupart des usines de transformation produisent des dimensions conformes à des règles établies à l'avance. La production sert surtout au bois de charpente bien connu, tel que le deux par quatre, le deux par huit et la planche d'un pouce d'épaisseur.

De plus, elles scient en majorité de l'épinette. D'autres préparent du bois de pin, du cèdre et des bois durs pour fin de boiserie ou d'ébénisterie. Il sera plus rare de trouver des scieries qui débitent seulement du tilleul et du noyer cendré. Ces essences sont moins abondantes et la demande est très faible par rapport à l'épinette. Certains scieurs le transforment en bois d'épaisseur seulement, en coupe latérale variant d'un, deux ou trois pouces. Il est vendu en pied carré ou en mètre cube.

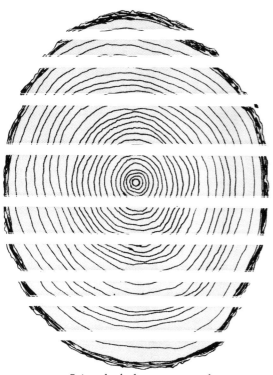

Sciage latéral ou transversal

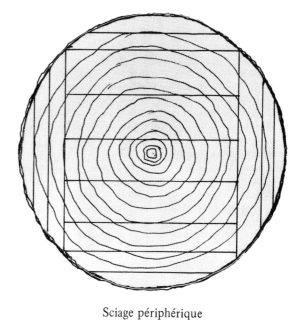

Sciage périphérique

Dimensions standards — bois dans le commerce — mesure anglaise
En pouces

1 × 2	2 × 2	4 × 4	6 × 6	8 × 8
1 × 3	2 × 3	4 × 6	6 × 8	
1 × 4	2 × 4	4 × 8		
1 × 6	2 × 6	4 × 10		
1 × 8	2 × 8	4 × 12		
1 × 10	2 × 10			
1 × 12	2 × 12			

	4'	5'	6'	7'	8'	9'	10'	11'	12'	13'	14'	15'	16'	18'	20'
3	1	1	1	1	2	2	2	2	2	3	3	3	3	4	4
4	2	2	3	3	4	4	5	5	5	6	6	7	7	8	9
5	3	4	5	6	6	7	8	9	10	10	11	12	13	14	16
6	5	6	8	9	10	11	13	14	15	16	18	19	20	23	25
7	7	9	11	13	14	16	18	20	22	23	25	27	29	32	36
8	10	12	15	17	20	22	25	27	29	32	34	37	39	44	49
9	13	16	19	22	26	29	32	35	38	42	45	48	51	58	64
10	16	20	24	28	32	36	41	45	49	53	57	61	65	73	81
11	20	25	30	35	40	45	50	55	60	65	70	75	80	90	100
12	24	30	36	42	48	54	61	67	73	79	85	91	97	109	121
13	29	36	43	50	58	65	72	78	86	94	101	108	115	130	144
14	34	42	49	59	68	76	85	93	101	110	118	127	135	152	169
15	39	49	61	69	78	88	98	108	118	127	137	147	157	176	196
16	45	56	68	79	90	101	113	124	135	146	158	169	180	203	225
17	51	64	77	90	102	115	123	131	154	166	179	192	205	230	256
18	58	72	87	101	116	130	145	159	173	188	202	217	231	260	289
19	65	81	97	113	130	146	162	178	194	211	227	243	259	292	324
20	72	90	108	126	144	162	181	199	217	235	253	271	289	325	361
21	80	100	120	140	160	180	200	220	240	260	280	300	320	360	400
22	88	110	132	154	176	198	221	243	265	287	309	331	353	397	441
23	97	121	145	169	194	218	242	266	290	315	339	363	387	436	486
24	106	132	159	185	212	230	265	291	317	344	370	397	423	476	529
25	115	144	173	202	230	259	288	317	346	374	403	432	461	518	576
26	125	156	188	219	250	281	313	344	375	406	438	469	500	563	625
27	135	169	203	237	270	304	338	372	406	439	473	507	541	608	676
28	146	182	219	255	292	328	365	401	437	474	510	547	585	656	729
29	157	196	235	274	314	353	392	431	470	510	549	588	629	706	784
30	165	200	252	294	336	378	421	463	505	547	589	631	673	757	841
31	180	225	270	315	360	405	450	495	540	586	630	675	720	810	900
32	192	240	288	336	384	432	481	529	577	625	673	721	769	865	961
33	205	256	307	358	410	461	512	563	614	666	717	768	819	922	1024
34	218	272	327	381	436	490	545	599	653	708	762	817	871	980	1089
35	231	289	347	405	462	520	578	636	694	751	809	867	925	1040	1156
36	245	306	368	429	490	551	613	674	735	796	858	919	980	1103	1225

Formule: Diamètre fin bout (en pouces) $-1)^2 \times$ Longueur en pieds $\times .05 = p.m.p.$

28

contenu en pieds mesure de planche

Chapitre 3

MESURAGE

Le sculpteur achète habituellement en très petite quantité et doit être familier à quelques méthodes simples en calcul du volume du bois. La quantité de bois nécessaire à un projet de sculpture est déterminée à l'avance. Cette évaluation revient à chaque fois qu'un projet de sculpture s'engage. Avec la collaboration de mesureurs qualifiés, nous vous donnons quelques méthodes simples de calcul.

Mesure anglaise

La mesure anglaise donne le volume du bois en *pieds mesure de planche* **p.m.p.** Un pied équivaut à un volume de 12 pouces par 12 pouces, par une épaisseur de 1 pouce, généralement en bois scié brut. Le bois raboté n'a plus cette dimension. Si la planche rabotée a 3/4 de pouce d'épaisseur, elle sera calculée pour 1 pouce, de même qu'une planche de 6 pouces et 1/2 de largeur, rabotée, peut être calculée à 7 pouces.

Pour mesurer une planche ou un madrier d'épaisseur, la méthode est la suivante : la longueur en pieds est multipliée par la largeur en pouces, et multipliée par l'épaisseur en pouce, puis divisée par 12. Le résultat obtenu sera en *p.m.p.*

$$L' \times 1'' \times é \div 12 = \text{p.m.p.}$$

Exemples   Un madrier de 12 pieds de longueur, 8 pouces de largeur et 2 pouces d'épaisseur, sera calculé comme suit :

$$12' \times 8'' \times 2'' \div 12 = 16 \text{ p.m.p.}$$

Mesure d'un morceau scié aux quatre côtés

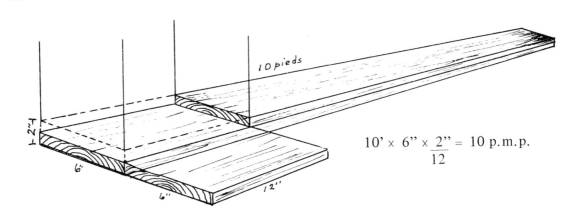

$$10' \times 6" \times \frac{2"}{12} = 10 \text{ p.m.p.}$$

Mesure d'un morceau scié sur deux côtés
avec conservation de l'écorce

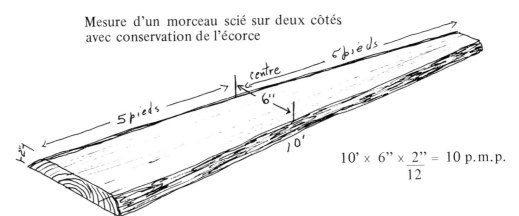

$$10' \times 6" \times \frac{2"}{12} = 10 \text{ p.m.p.}$$

Pour connaître le volume en pieds d'un morceau scié sur deux côtés, tel qu'illustré ci-contre, la largeur est prise généralement au centre, entre les écorces, ce qui permet d'établir une moyenne sur toute la longueur. Normalement, on absorbe les défauts dans un sens ou dans l'autre, sans diminuer le volume obtenu.

Pour faire un tableau ou relief de 16" x 20" x 2", on évalue la quantité de bois nécessaire en pouces, en calculant le volume en pouces, puis en le divisant simplement par 144, au lieu de 12.

16" x 20" x 2" ÷ 144 = 4.44 p.m.p.

Comme on doit lameller-coller ce relief, on cherche à assembler plusieurs morceaux de différente ou de même largeur, car il sera difficile de trouver un madrier de 16 ou 20 pouces de largeur qui risquera de se tordre de toute évidence.

Un panneau de 16 pouces par 20 pouces contiendrait 4 morceaux de 5 pouces de large, par 16 pouces de long. Un madrier sain de 5" x 2" x 5'6" de long coupé en 4 longueurs égales de 16" suffira à la quantité nécessaire à l'assemblage (voir collage, page 75).

Le calcul du volume est le même que la mesure anglaise pour les pièces de bois sciées. Il s'agit toujours de mesurer la longueur par la largeur, par l'épaisseur. Le système métrique donnera la quantité de bois en mètre cube solide : un mètre de long, par un mètre de haut et par un mètre de large.

Tableau de 16" x 20" x 2" ou 41 x 51 x 5 cm

Système métrique

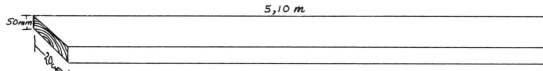

	Long x	Larg x	é =
	m	cm	mm
	5,10 x	20 x	50 = .051 m^3

Calcul du volume d'une bille

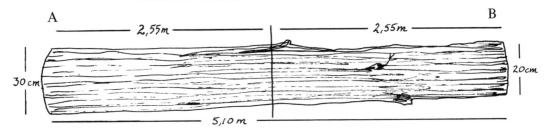

Le bois est mesuré en volume solide, qu'il soit avarié ou non, et s'établit en fonction de son diamètre aux deux extrémités. La bille est calculée en demi-longueur, avec chacune son diamètre.

Vdm^3 = Volume (en décimètres cubes)

= $(dia_{cm})^2 \times L_m \times \pi \times 1$

= $dia^2_{cm} \times L_m \times 0,07854 \div 1000$

A) $900 \times 2,55 \times \dfrac{3.1416}{4} \times \dfrac{1}{10} = 180,25$

B) $400 \times 2,55 \times \dfrac{3.1416}{4} \times \dfrac{1}{10} = 80,11$

Total $.26036\ m^3\ ou\ .26\ m^3$

Le résultat s'exprime à deux décimales près. Le volume est arrondi en laissant tomber la troisième décimale, si elle est inférieure à 5.

Les petites quantités sont calculées en centimètres. À cause des récents changements du système de mesure métrique au Canada, le calcul du volume du bois en mètre ou centimètre sera bientôt le langage employé par tous dans le commerce du bois.

Chapitre 4

SÉCHAGE

Si le bois est séché, les projets de sculpture peuvent débuter. Toutefois, lorsque le bois est frais tiré de la forêt et vient de sortir de l'usine de bois de sciage, il doit sécher suffisamment avant de s'engager dans tout projet de sculpture. Le bois est aussi hygroscopique, même séché il absorbe l'humidité.

Il existe deux méthodes de séchage : le séchage artificiel *séchoir* et le séchage naturel *à l'air libre* .

Séchage artificiel

Plusieurs entreprises possèdent des séchoirs à bois pour enlever une quantité appréciable d'eau avant de le mettre sur le marché. Il s'agit d'un procédé rapide permettant de diminuer la teneur en eau du bois égale ou inférieure à 19%, par le contrôle de la chaleur et de l'air.[1]

Le bois en ressort plus léger, rétréci et stable. Les risques de taches, moisissures et champignons sont éliminés. Pour la sculpture sur bois, un séchage maximum extra-sec est requis, 7% et moins. Entreposé dans un endroit sec et aéré, à une température de 15 à 20° Celcius, le bois continuera de sécher et de se rétrécir car, à sa sortie du séchoir, il est préférable de le laisser sécher avant usage, à moins qu'il ne soit passé à l'étuve.

Séchage naturel

Nous attachons une attention toute particulière au séchage naturel puisque, dans la majorité des cas, le sculpteur aura recours à cette

1. National Lumber Grading Association.

méthode pour plusieurs raisons. Il aura l'occasion de se procurer du bois dit "vert" et devra le faire sécher lui-même avant de le sculpter. Lorsque le bois est "vert", il est plus lourd, plus juteux et ferme.

Une méthode consiste à empiler les pièces sciées à l'extérieur, en séparant chaque rang d'une latte de 3/4" d'épaisseur au minimum, soit 75 cm. Le premier rang devra être à au moins 1 pied du sol, couvert de gravier, sans végétation, pour éviter une teneur constante en humidité sous la pile de bois et augmenter l'espace d'air requis à la base. Un toit temporaire doit être construit pour protéger le bois des intempéries et de la lumière intense. Le bois non protégé à l'extérieur se détériore rapidement si des précautions ne sont pas prises.

Le bois, principalement le tilleul, est coupé en hiver* et scié en madriers ou planches dès les premiers jours du printemps. Il doit être immédiatement empilé car la meilleure période de séchage commence en mai et juin, pour se poursuivre jusqu'en octobre dans les pays nordiques comme le Canada. Les pièces de 1 et 2 pouces d'épaisseur sèchent normalement durant cette période. Les plus épaisses auront besoin d'une autre saison pour atteindre le même séchage.

Les risques de détérioration sont nombreux. En plus des intempéries, les invasions biologiques et fongiques menacent. Il est suggéré d'enduire le bout des madriers de peinture d'impression *(latex)*, ou de paraffine chaude, afin de freiner un séchage trop rapide aux extrémités. Sans ces enduits, les bouts fendillent à plusieurs endroits et noircissent profondément. Dans le cas de vers rongeurs, consulter un spécialiste en extermination.

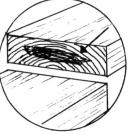

Vérifier si le bois est complètement séché; souvent, il en a l'apparence et ne l'est pas à l'intérieur. Il suffit de prendre un morceau du milieu, le retirer, le scier en deux vis-à-vis un nœud pour éviter le gaspillage. Le brin de scie colle à la scie et le trait fraîchement coupé annonce encore de l'humidité : il faut le laisser encore un certain temps. Si rien ne semble indiquer des parties encore mouillées, il peut être entreposé

* On dit que le bois d'arbre coupé dans le décours de la lune en décembre est d'une meilleure qualité.

à l'intérieur dans un endroit sec et aéré, à condition d'être empilé à nouveau avec des lattes entre chaque rang. Son effort de séchage est passé et les risques de *chauffage* sont presque nuls. Du bois sec entreposé dans un sous-sol humide deviendra plus foncé et plus dur à travailler.

Les résineux, tel que le pin, sèchent très rapidement par temps très ensoleillé. S'il y a période de sécheresse, on vaporise légèrement le bois une ou feux fois afin de l'empêcher de fendiller en surface, car il rétrécit trop vite à l'extérieur par rapport à l'intérieur. La résine se fige et durcit, pour devenir poudreuse. Les gouges se gâtent facilement et le bois déchire à ces endroits.

Abri pour séchage naturel

Les madriers plus épais sont placés en bas et les plus minces en haut. Les lattes sont à 3 ou 4' (1,50 m) de distance. L'air poussé par le vent assèchera le bois uniformément. Couvrir d'un toit plus grand que la pile de bois, avec une pente pour égoutter la pluie et empêcher le soleil de déshydrater le bois trop rapidement (4). Quatre bons poteaux retiennent le toit solidement.

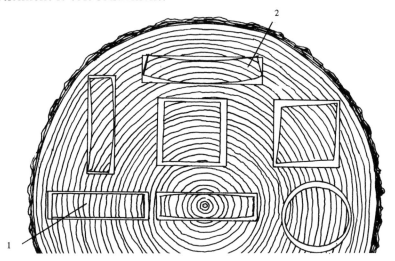

Caractéristiques de différentes pièces de bois qui subissent des modifications plus ou moins grandes selon la provenance dans le billot.

Au séchage, le bois rétrécit et se tord suivant la direction des anneaux annuels de l'arbre. La pièce de gauche (1) est tirée de la meilleure partie de l'arbre. Elle est très recherchée dans la fabrication des instruments à corde.

Il faut savoir s'accommoder des autres parties. Lorsqu'elles sont séchées à point, les pièces tordues sont sciées à nouveau ou redressées à la dégauchisseuse. Par contre, il serait très imprudent de se servir d'une pièce provenant du flanc de l'arbre, telle que celle du haut (2) dans un montage lamellé-collé. Cette partie est sensible à tout changement d'humidité dans l'air.

DEUXIÈME PARTIE

L'atelier

Chapitre 5

LES OUTILS

Le choix des outils est très important, tant sur le plan du travail que sur le plan économique. S'équiper aveuglément vous conduira à posséder plusieurs outils sans aucune utilité. Un choix minimum s'impose et, plus le sculpteur avance dans la pratique, plus il découvre la polyvalence de chacun.

Exiger la qualité au départ. Un bon outil est celui dont l'épaisseur du fer est sensiblement la même dans toute la largeur de la lame de coupe, lorsque le fer est exempt de bavure, de fissure ou de cavité. Quant au trempage, seule l'utilisation peut juger de son excellence ou de sa médiocrité. Un outil qui se brèche facilement, ou qui ne garde pas sa coupe, a failli au trempage, ou a été surchauffé à l'affûtage par le sculpteur lui-même. La qualité de l'acier joue un rôle important dans la fabrication de l'outil.

Les bons outils sont ceux qui permettent un emploi de longue durée entre chaque aiguisage, qui ont souplesse et vigueur et sont construits pour résister. Ceux vendus pour le linoléum, la cire, ou autre médium mou, sont faits pour ces travaux et pas nécessairement pour celui du bois. Notamment, les outils de sculpteur sur bois ne sont pas faits pour d'autres médiums, tel que le plâtre, l'argile, la pierre à savon, etc.

Le couteau

On retrouve sur le marché une gamme variée de couteaux, à usages multiples. Certains préfèrent travailler à l'aide de ces outils sans utiliser la gouge.

Dans le cas du travail à la gouge, il est parfois utile d'avoir un petit couteau à pointe fine. Il est employé surtout lorsque le sculpteur n'a pas tous les outils nécessaires et doit couper certaines fibres de bois dans des endroits inaccessibles aux gouges.

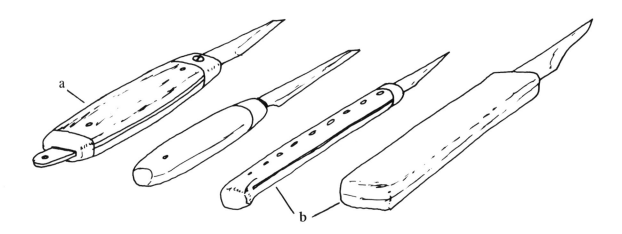

a) Couteau à lame interchangeable, avec glissoir, qui permet d'utiliser des lames différentes et de l'user au maximum. La lame est maintenue par une vis. Le manche est en métal léger et bois dur.

b) Ce modèle a la même lame que *a*) et l'on fabrique soi-même le manche. On emprisonne la lame entre deux morceaux de bois avec de la colle. Après un bon séchage, le manche est "sculpté" à la forme de la main, puis vernis par la suite.

Le ciseau

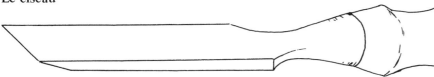

Le ciseau à bois, ou le ciseau de menuisier, sert à mortaiser ou aplanir les surfaces. Il est aiguisé d'un seul côté, à angle très droit, avec un biseau de 25 à 30°.

Le fermoir

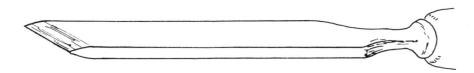

Le fermoir diffère du ciseau par son tranchant qui se trouve au milieu de l'épaisseur de la lame. Il est aiguisé des deux côtés à angle droit, ou suivant la pointe à angle aigu. Le néron sert à pénétrer dans les cavités et à couper là où les droits ne peuvent se rendre.

La gouge

La gouge est un ciseau creusé en forme de canal, servant à faire des entailles et des tracés suivant la forme du dit canal. La forme de ce dernier correspond au "pas" de l'outil dans le bois. Cette catégorie exige un bon choix car la gamme est très étendue. Elle se divise comme suit : méplate, demi-creuse, creuse. Les formes varient de la gouge droite, allongée, courbée, coudée, contre-coudée et "queue de poisson".

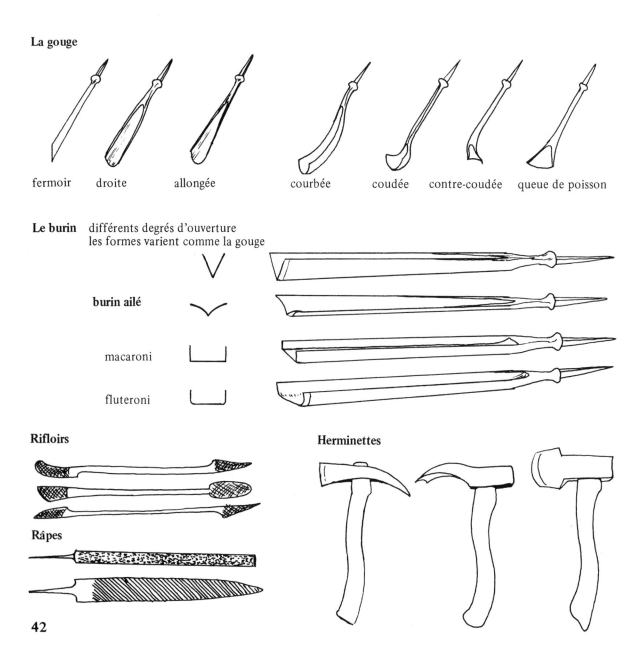

La gouge

fermoir droite allongée courbée coudée contre-coudée queue de poisson

Le burin différents degrés d'ouverture
les formes varient comme la gouge

burin ailé

macaroni

fluteroni

Rifloirs

Râpes

Herminettes

42

La coudée et la contre-coudée

La "coudée" est une gouge en forme de cuillère[1] qui sert à creuser profondément et permet un soulèvement plus complet du copeau. Il est bon d'en posséder une ou deux.

La "contre-coudée" est semblable à une cuillère renversée. Elle laisse un pas convexe. Elle est utilisée dans le cas de motifs floraux ou autres, dont la répétition de la forme revient constamment. Peu de sculpteurs en possèdent car la contre-coudée a un rôle bien précis.

Le burin

Ce dernier est indispensable à la sculpture sur bois : il est très utile pour marquer un détail, égaliser les rebords, signer, etc. On le surnomme "V" à cause de la forme du canal.

Le macaroni et fluteroni

Ces outils servent dans des travaux plus raffinés. Il y a lieu de se les procurer si leur utilisation est fréquente; sinon, on peut s'en passer. Plusieurs les emploient en ébénisterie, lettrage, sculpture décorative.

Le rifloir

Le rifloir sert à arrondir ou aplanir par usure et lissage là où les gouges ont difficilement accès. Le rifloir ressemble à une petite râpe et lime à raies étroites. Il est de forme pointue, plate, courbée. C'est un procédé différent qui peut être employé en toute liberté à condition de respecter le travail fait à la gouge. Le rifloir arrondit les recoins creux et raffermit les détails des sculptures en vue de la dorure ou de projets raffinés servant au moulage de reproduction. Une fois encrassé, le rifloir est trempé dans l'eau chaude; les résidus de bois se gonflent alors et s'enlèvent plus facilement à la brosse.

1. Par sa forme, la coudée s'est vue attribuer le nom de "cuillère". C'était autrefois le langage employé entre le sculpteur et le forgeron du village, souvent appelé à façonner son outil.

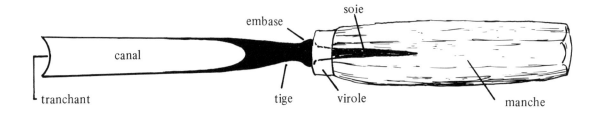

Les manches

Les manches de bois dur sont munis d'une virole métallique près de la gouge. La grosseur varie selon la gouge. Ils doivent résister au maillet. Les manches employés souvent avec les maillets sont protégés par une rondelle de feutre, de cuir ou de caoutchouc, insérée entre l'embase et le bois du manche. Cette rondelle sert d'amortisseur, évitant le fendillement du manche.

Les maillets

Le frêne ou l'érable à sucre sont excellents pour la fabrication des maillets. Ceux de bois cognent bien et sont les plus populaires. Ceux de métal résistent bien, mais abîment les manches d'outils s'ils sont mal employés. Ils ont l'avantage de demander moins d'élan. Ceux de caoutchouc sont moins bruyants, légers et cognent moins. Le poids varie de 14 à 34 onces.

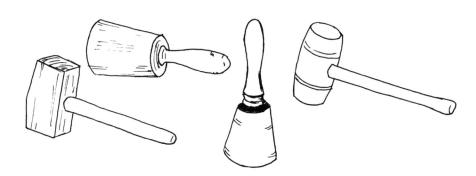

Fabrication d'un manche de couteau

Prendre deux morceaux de bois (tilleul, noyer, acajou), avec chacun une surface propre et lisse. Creuser un canal du côté lisse de la même largeur et de la même profondeur que la lame.

Poncer la surface de la lame pour une meilleure adhérence à la colle. Placer la lame dans son canal. Étendre une fine épaisseur de colle partout. Unir les deux blocs et serrer fortement dans un étau. Laisser sécher, puis façonner un manche s'adaptant bien à la forme de la main. Poncer et vernir afin de lui donner une protection contre l'humidité des mains ou de toute saleté.

À mesure que la lame s'use, il suffit de raccourcir le manche à volonté, en enlevant du bois à l'entrée de la lame.

Lesquels choisir?

Un fabricant d'outils de sculpteur peut présenter en moyenne 1 à 2 000 gouges et burins de toutes sortes. Il y a environ 14 formes différentes, réparties dans 11 "pas", variant de 2 à 70 mm de largeur. Chaque outil a un rôle particulier en fonction du travail à accomplir. Lequel choisir?

Référer aux pages **48** et **49**. Une mini-sélection de 15 gouges y est présentée : plates, creuses, demi-creuses, burins. Il faut en avoir au moins une ou deux de chaque sorte pour débuter.

Ensemble de 8		Ensemble de 16	
2 méplates,	10 et 20 mm	4 méplates,	6, 10, 20, 26 mm
2 creuses,	13 et 30 mm	4 creuses,	3, 13, 20, 26 mm
2 demi-creuses,	16 et 26 mm	3 demi-creuses,	10, 16, 26 mm
1 burin,	6 mm	2 burins droits,	3 et 6 mm
1 couteau		1 burin coudé,	10 mm
		1 demi-creuse coudée,	32 mm
		1 couteau	

Vérifier vos aptitudes avant de faire des achats importants. Un ensemble de 8 gouges pourra être complété au fur et à mesure de vos besoins et de votre goût de poursuivre dans ce domaine. Un ensemble de 16 permet de réaliser différentes rondes-bosses et, même de petits tableaux pouvant mesurer jusqu'à 24 pouces. On peut l'utiliser pour des projets plus grands : le temps d'exécution sera plus long. Lorsque l'emploi de gouges plus grosses revient souvent, on ajoute à l'ensemble une méplate de 40 à 60 mm et une demi-creuse de 40 mm. Il en va de même pour les autres qui sont en montre dans les magasins spécialisés. Vous aurez vite fait de reconnaître ceux qui s'adaptent le mieux à votre travail.

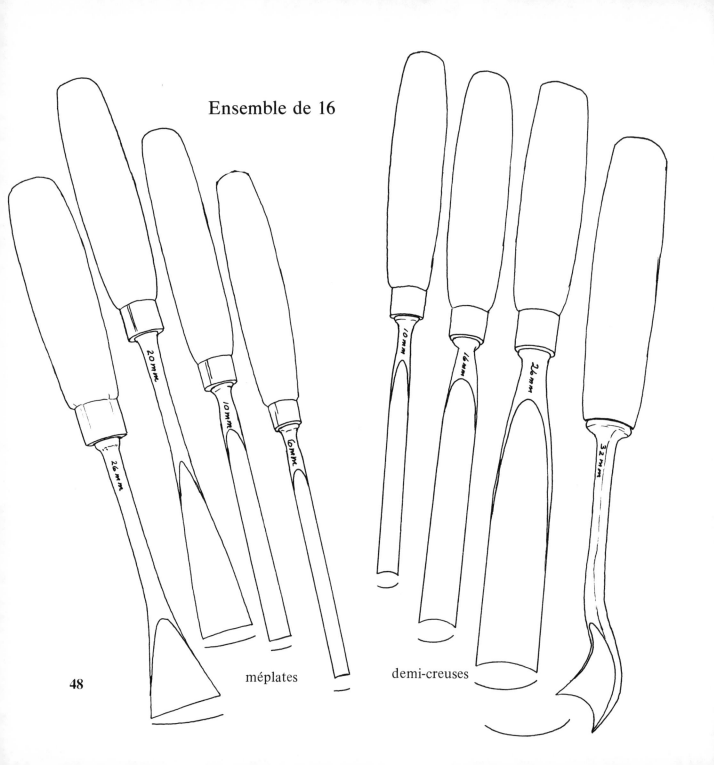

Ensemble de 16

méplates

demi-creuses

48

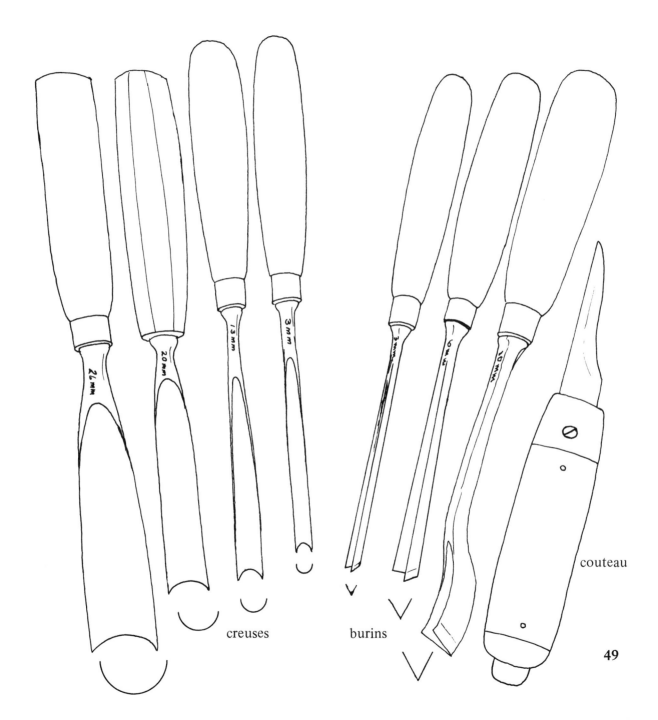

creuses

burins

couteau

49

Chapitre 6

MÉTHODES D'AIGUISAGE

Pierre douce
Meule de grès
Meule d'émeri

Pierre douce

1 pierre de grès rectangulaire, environ 200 × 50 × 25 mm
huile d'ours
1 planchette de bois de 200 × 50 × 25 mm, un côté feutre, un côté cuir
savon abrasif.

Verser quelques gouttes d'huile ou d'eau sur la pierre. Vérifier avant d'acheter s'il s'agit d'une pierre à l'eau ou à l'huile.

Frotter en cercle, sans changer l'angle de l'outil, tout en suivant la courbe du canal de la gouge. L'opération est longue et rien ne sert de l'escamoter. Le biseau doit être très droit, directement vers le taillant.

Compléter l'aiguisage sur la bande de cuir à la manière d'un barbier. Polir sur le morceau de feutre. Bien nettoyer la pierre après chaque usage. Encrassée, elle perd du mordant. La pierre à l'eau aiguise bien les outils et demeure plus propre.

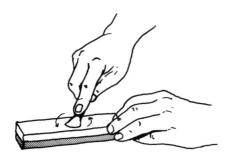

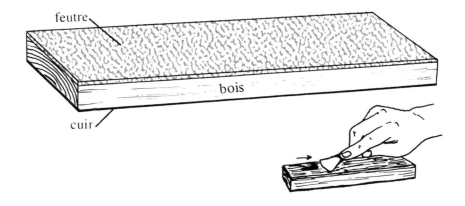

feutre

bois

cuir

Meule de grès

(Photo courtoisie de Bud Labranche, Ontario)

Cette meule de grès a un grain fin et mou. Elle tourne à une vitesse de 130 tours à la minute, touchant l'eau du bassin situé au bas de la meule. À cette vitesse et avec l'eau ruisselant sur la meule, l'outil demeure froid tout au long de l'aiguisage. C'est une méthode plus lente que la meule d'émeri montée sur moteur électrique, mais c'est la plus sûre.

Elle travaille en douceur et n'abîme pas les outils. Ces derniers gardent bien leur coupe. Il faut vidanger l'eau du bassin avant une période de long repos, sinon la meule ramollit à cet endroit et s'usera plus vite, créant aussi des cavités sur cette partie.

Pour remédier à ce problème, un système de mouillage et de drainage peut être installé. L'eau arrive directement sur la meule, en haut, durant sa rotation et s'écoule au bas, sans remplir le bassin. Une soupape contrôle l'arrivée et l'arrêt de l'eau entre la meule et la source d'alimentation.

Après avoir aiguisé l'outil sur la meule à l'eau, il est poli sur une meule de coton, enduite de savon abrasif, tournant à 1725 RPM.

Meule d'émeri

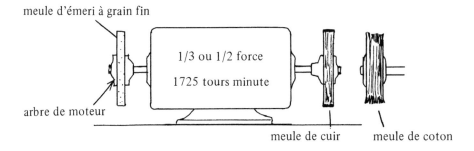

meule d'émeri à grain fin

1/3 ou 1/2 force

1725 tours minute

arbre de moteur

meule de cuir   meule de coton

Unité d'aiguisage

moteur électrique avec arbre double,
paire d'arbre de moteur,
meule d'émeri à grain fin,
meule de cuir ou feutre,
meule de coton
savon abrasif vert.

On peut se procurer aussi un mandrin composé d'un arbre supportant les meules, actionné par un moteur à une poulie, utilisant une courroie. L'avantage de ce principe est de pouvoir fixer les 3 meules avec un seul moteur.

1 moteur 1725 RPM
2 meule d'émeri
3 poulie 2''
4 mandrin (poulie 2'')
5 meule de cuir ou de feutre
6 meule de coton

Le savon abrasif est appliqué sur les meules de coton, cuir ou feutre, en mouvement. La rotation peut se faire dans les deux sens. La méthode idéale consiste à faire circuler la meule d'émeri vers le bas, tandis que les meules de cuir ou de feutre et la meule de coton permettent un meilleur travail de finition lorsqu'elles tournent vers le haut. C'est pourquoi on retrouve plusieurs sculpteurs qui font tourner toutes leurs meules dans le même sens et, spécialement vers le haut, même s'ils savent que la meule de grès et la meule d'émeri effectueront un meilleur aiguisage si elles tournaient vers le bas. L'installation d'un mandrin nécessite une table disposée en fonction de l'espace nécessaire à l'opérateur.

Précautions

La vitesse des meules ne doit pas excéder 1725 RPM. Même à toute vitesse, il est recommandé de surveiller la surchauffe de l'outil. Le moteur doit être fermé hermétiquement. Les poussières d'émeri et du savon abrasif peuvent endommager les pièces motrices et le circuit électrique, si non protégés.

Avant de déposer l'outil sur les meules de coton, cuir ou feutre, vérifier dans quel sens elles tournent. Il est extrêmemnet dangereux de déposer l'outil en sens inverse. Ce dernier peur s'échapper des mains et blesser l'opérateur.

OUI   NON

Entretien des outils

Les outils neufs sont généralement livrés avec un biseau indiquant l'angle de coupe, mais non aiguisés. Ils ne sont pas prêts pour sculpter le bois. Il faut leur donner une coupe adéquate.

Le premier aiguisage est le plus long. Les outils doivent être aiguisés convenablement afin de réduire l'épaisseur de l'acier laissé par le fabricant. Prenez le temps de bien les préparer. Un outil mal aiguisé demande une pression plus forte sur le bois et risque d'abîmer la sculpture. Il sera difficile d'obtenir un travail soigné : le bois déchire et laisse des échardes disgracieuses. L'outil bien aiguisé laisse des traces propres et lisses, agréables au coup d'œil. Pour rendre un outil apte à la sculpture sur bois, il faut franchir deux étapes : **biseautage et aiguisage**.

Biseautage

Le biseautage consiste à meuler l'angle de coupe dans un *biseau* plus ou moins fermé, 20 à 25°, sur toute sa largeur de coupe, en rejoignant avec précision le fond du canal. Commencer à meuler un outil neuf en partant du tranchant vers le talon. Comme la plupart des gouges n'ont pas exactement la même épaisseur d'un bord à l'autre du canal, ceci vous indiquera clairement s'il y a un côté plus épais que l'autre.

Après cette vérification, vous appliquez la méthode régulière d'aiguisage qui va du talon au tranchant. Le mouvement de rotation empêche l'outil de chauffer sur la meule d'émeri. S'il semble trop chaud, le refroidir dans un bol d'eau froide qu'on aura pris soin de placer près de la meule. À un certain degré, la trempe de l'outil disparaît. La pression trop forte de l'outil sur la meule et un mouvement trop lent de gauche à droite augmentent la température de l'acier.

Éviter de vous rendre trop vite au tranchant. Le biseau doit être droit, sans bosse, ni creux, et sans morfil apparent. Un trop large morfil use la gouge inutilement. Après vingt ans de travail constant, des sculpteurs conservent encore leurs premiers outils. Allez-y "molo-molo"! Le poids de l'outil, plus une légère pression, suffisent.

Exercice de contrôle du meulage

Au début, il est probable que le contrôle du meulage soit difficile à atteindre. Prendre un tube métallique en acier, aiguisez-le comme si c'était une gouge. Ceci aide à mouvoir la gouge de façon à donner un angle uniforme et sans *débarquer* à côté de la meule, ce qui arrive souvent au début. On en profite pour vérifier la pression à mettre sur le tube et les distances d'arrêt temporaire sans le surchauffer.

Faire un essai sur un bloc de bois. Le tracé doit être net, propre et luisant. Si le bois déchire et laisse des rainures, ou que la coupe est mate et rude, l'aiguisage est incomplet.

Aiguisage

Cette deuxième opération consiste à polir le biseau des rainures laissées par la meule. Un meulage léger sur une meule à grain fin, ou meule de cuir, adoucira l'angle jusqu'au tranchant, en ayant soin de meuler l'extrémité de façon à obtenir une coupe régulière, "fini rasoir".

IMPORTANT : ne jamais meuler, ni frotter d'une pierre ou d'une lime l'intérieur ou la surface du canal. Il a été fabriqué ainsi et doit demeurer droit et intact de tout traitement additionnel. Seule la meule de coton ou de feutre a accès à ce côté du taillant.

La touche finale est réservée à la meule de coton. Appliquer une bonne couche de savon abrasif pour faciliter le polissage, pendant que la meule tourne. Frotter la gouge de sa partie biseautée et du canal. Répéter ce mouvement jusqu'au nettoyage complet du morfil et des rainures à l'extrémité du taillant.

Cette opération a lieu quelquefois pour rafraîchir un outil après usage, sans se servir de la meule d'émeri à nouveau. Éviter surtout de les surchauffer. Au début, arrêter le polissage, vérifier le travail, puis reposer l'outil au même endroit sur la meule.

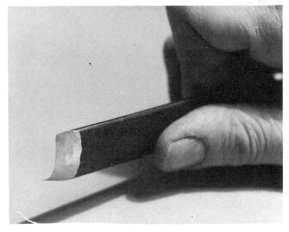

Biseautage à la meule d'émeri

Mouvement de rotation sur la meule d'émeri.

ÉVITER DE SURCHAUFFER L'OUTIL

L'outil est déposé sur cette meule avec une pression moyenne. Laisser la meule polir l'angle de coupe environ 2 à 3 secondes, puis inverser la gouge pour polir l'intérieur du canal de 2 à 3 secondes aussi.

Une couche de savon abrasif est déposée sur la meule de coton ou de feutre jusqu'à ce que la meule devienne bien imprégnée.

Répéter ce geste jusqu'à ce que le taillant soit nettoyé de tout morfil et qu'il atteigne le *fini rasoir*.

Aiguisage d'un couteau

Meuler en gardant le même angle sur la meule. Les mains tiennent fermement le manche de l'outil, tel qu'illustré. Les coudes sont collés au corps.

La lame est frottée sur la meule dans un mouvement de va-et-vient, de la pointe au talon de la lame ; seules les épaules bougent.

Vérifier la surchauffe. Arrêter plusieurs fois pour vérifier le travail de la meule sur le biseau et arrêter le meulage aussitôt arrivé au taillant. Procéder de la même manière sur l'autre face de la lame.

La position des mains est identique à celle du polissage, sur les meules abrasives.

La meule d'émeri requiert un bon entretien. Si elle présente des imperfections ou que l'outil saute par petits bonds, sa circonférence doit être refaite. Il suffit d'utiliser un rectificateur à pointe de diamant ou un décrasse-meule à rondelle d'acier. User la meule en marche jusqu'à ce qu'elle retrouve son axe.

Aiguisage d'un burin

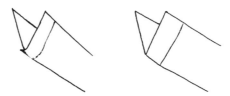

L'aiguisage du burin requiert un contrôle minutieux. Il est formé de deux côtés plats reliés au centre. Le creux du canal est plus ou moins arrondi. Lorsque les deux côtés sont meulés, ils ont tendance à laisser une pointe longue et mince. Pour y remédier, biseauter en suivant la petite courbe au creux du canal, avec le même angle de coupe des côtés. La pointe disparaîtra. Le pas de l'outil correspondra au canal.

On peut éliminer ce creux arrondi du canal en le limant avec un tiers-point d'horloger. Il faut refaire ce creux du burin sans rainures et rejoignant la surface intérieure des côtés parfaitement. C'est le seul moment où il est permis d'utiliser un objet abrasif, lime ou pierre, à l'intérieur d'un canal d'outil.

Différents meulages

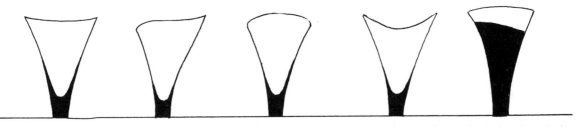

| aiguisage régulier | rotation trop grande vers la gauche | dépassement | rotation incomplète | épaisseur du métal irrégulière |

Chapitre 7

OUTILLAGE ET ÉQUIPEMENT

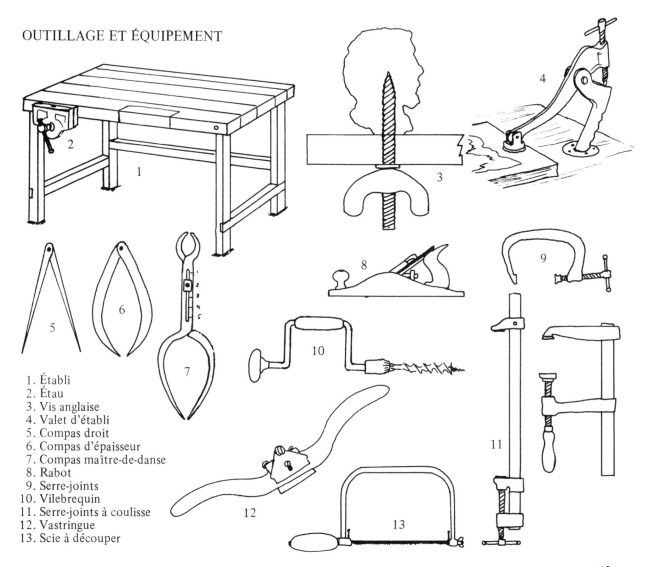

1. Établi
2. Étau
3. Vis anglaise
4. Valet d'établi
5. Compas droit
6. Compas d'épaisseur
7. Compas maître-de-danse
8. Rabot
9. Serre-joints
10. Vilebrequin
11. Serre-joints à coulisse
12. Vastringue
13. Scie à découper

CHEVALET D'ÉTABLI

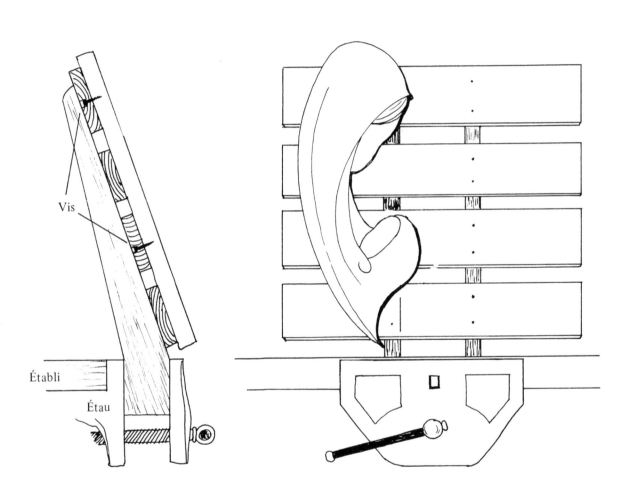

Vis

Établi

Étau

Clermont Gagnon, sculpteur.

André Médard et Jacques Bourgault dans leur atelier à Saint-Jean Port-Joli

Chapitre 8

PETIT ATELIER

Le chapitre précédent montre une partie de l'équipement nécessaire pour meubler convenablement un atelier de sculpteur. Un minimum suffit aux conditions suivantes :

initiation à la sculpture
passe-temps léger
passe-temps favori
revenu d'appoint
occupation à plein temps.

Vérifier les lieux physiques disponibles à la sculpture du bois. Êtes-vous propriétaire ou locataire? Existe-t-il une petite pièce se prêtant bien à ce loisir? Vous remarquerez plus loin que plusieurs petites sculptures sont réalisables avec un minimum d'organisation. Un sous-sol, un petit garage ou une remise feront la joie de certains. J'ai rencontré un excellent sculpteur sur bois qui possédait une tronçonneuse, une table, une meule, un maillet, ainsi qu'une vingtaine de gouges. Il utilisait des blocs sans collage et des bûches de bois. La tronçonneuse servait à débiter et dégrossir les pièces de bonnes dimensions et les gouges complétaient le travail.

Équipement minimum :

1 table avec étau
6 à 8 gouges
1 meule motorisée ou pierre douce
1 petit couteau
  bagatelles de bois sec
  vernis ou cire en pâte

Appuyer la table le long d'un mur; éliminer les vibrations en la fixant solidement. L'étau est fixé à gauche pour un droitier et à l'inverse pour un gaucher. Deux pièces de bois tendre en "L" progègent le bord de la table des coups de gouges lors de la fabrication de petites pièces. Placer les gouges sur la table en laissant des copeaux de bois entre chacune pour prévenir tout choc de métal sur les tranchants. Cependant la meule ou tout équipement servant à l'aiguisage sont placés hors de la table de travail.

Pour exécuter une murale, fabriquer un petit chevalet d'établi et fixez-le dans l'étau. Deux vis à l'arrière retiennent le morceau de bois à être sculpté. La vis anglaise (page 63, n° 3) sert aux pièces de bois trop larges pour les machoires de l'étau.

Éclairage

Idéalement, l'atelier doit posséder un éclairage naturel avec une assez bonne surface vitrée laissant passer la lumière du jour venant du nord-ouest principalement. Par temps ensoleillé, l'atelier devient plus clair mais sans forts rayons éblouissants. La lumière est plus dense au nord-ouest lorsque la journée s'achève, augmentant ainsi la durée d'éclairage naturel à cette période.

Le peintre a besoin d'un éclairage uniforme et clair à cause des couleurs. Sa surface de travail est plate, tandis que le sculpteur travaille avec le volume, les masses et les formes. Il a surtout besoin que la face à travailler soit légèrement plus claire que l'arrière plan de la sculpture.

Assurez-vous d'avoir un éclairage uniforme venant derrière vous du haut des épaules autant de gauche que de droite. Le sculpteur se déplace souvent en travaillant et un bon éclairage assurera une bonne vision de tous les angles.

Toute ampoule électrique, fluorescent ou autre, employée en atelier est celle donnant un éclairage de lumière du jour. Ce genre d'éclairage ne crée pas d'ombre très accentuée sur la sculpture. Les ampoules directionnelles sont déconseillées.

TROISIÈME PARTIE

Préparation de la matière

Chapitre 9

MACHINERIE

Un certain nombre d'outils et de machines est utile au sculpteur. Ils servent à transformer le bois brut en blocs ou panneaux préparatoires à la sculpture.

Scie à ruban	10 ou 15"
Scie circulaire	10"
Dégauchisseuse	4, 6 ou 8"
Raboteuse	10 à 12"
Ponceuse	48" × 6"

Chaque instrument est motorisé avec la puissance recommandée par le fabricant. Toutes les règles de sécurité s'imposent afin d'éviter les accidents :

Bonne localisation	Utilisation modérée
Bon entretien	Port de vêtements appropriés
Aiguisage parfait	Port de visière de sécurité, etc.

La scie à ruban est une longue lame de scie à dents fines, montée sur deux volants actionnés par un moteur. La lame traverse une table ajustable entre les volants et un guide sur roulement à billes supporte la pression exercée par l'opérateur en découpant le morceau de bois. La lame de scie doit circuler librement avec une faible friction sur les roulettes de support, dont l'une se situe au-dessus du guide et l'autre au-dessous de la table.

Le brin de scie farineux s'accumule souvent dans la machine. Un nettoyage en profondeur est nécessaire après un usage moyen. Les volants sont recouverts d'une bande de caoutchouc supportant la lame de scie. Ils s'encrassent aussi et augmentent le diamètre des roues, ce qui a pour effet d'étirer la lame et pouvant causer un bris; une soudure remettra la lame en état.

La scie à ruban coupe, fend, scie, en suivant les lignes de contour avec aisance. Scier d'avant, sans faire marche arrière. Toujours prévoir une sortie d'avant.

La raboteuse et la dégauchisseuse sont indispensables lorsqu'il faut lameller-coller des morceaux de bois. La dégauchisseuse est munie d'un fuseau à trois couteaux, tournant à haute vitesse. La table est séparée en deux par le fuseau. La première partie ajustable est plus basse de l'épaisseur du bois à enlever; la deuxième est égale à la hauteur des couteaux. Elle sert à égaliser la surface du morceau de bois. Le bois ainsi blanchi donne la teinte exacte de chaque morceau pour un assemblage homogène.

Les couteaux doivent être en bon état et bien aiguisés. La chute à copeaux doit demeurer libre. La garde de sécurité située au-dessus des couteaux se déplace au passage du morceau de bois et continue de cacher le reste du fuseau non utilisé. Cette machine est sécuritaire si maintenue en bon état et maniée avec prudence.

La raboteuse sert à égaliser l'épaisseur du morceau sur toute sa longueur et sa largeur. Une table ajustable reçoit la pièce de bois à être rabotée, laquelle traverse une série de rouleaux qui la maintiennent en place. Un fuseau à trois couteaux, pour la plupart fixé en haut de la bouche, enlève l'épaisseur de bois au passage. L'avantage de la raboteuse réside dans la récupération des chutes de bois encore sain afin d'obtenir un volume plus grand par le collage.

Scie à ruban

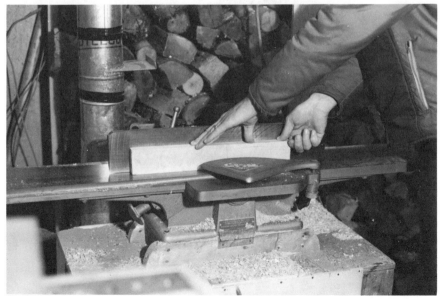

Dégauchisseuse

73

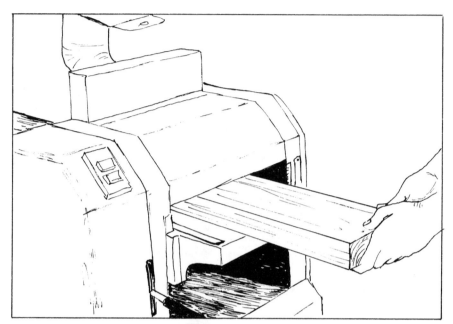

Raboteuse

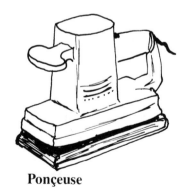

Ponçeuse

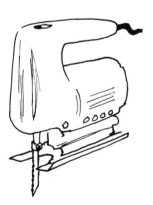

Scie à guichet

Chapitre 10

COLLAGE

Lorsqu'on prépare un collage, il importe de prendre toutes les précautions nécessaires pour éviter des désagréments. Le bois fraîchement raboté ne doit contenir plus de 5 à 7% d'humidité. Les joints sont égaux, lisses et propres. Ne pas poncer les surfaces à être collées, sauf pour les bois huileux comme le teck. Enlever toute poussière, graisse et autre élément impropre des morceaux qui ont séjourné à la lumière longtemps avant le collage. Souvent, un léger rabotage demeure la seule solution de remise à neuf.

Assembler les pièces dans deux serre-joints de mêmes dimensions. Placer au centre les morceaux dont les anneaux annuels sont des plus verticaux. Ce sont les plus fermes et les moins rétractiles. Placez-les côte à côte à chaque fois que vous en ajoutez un de chaque côté, en agrandissant jusqu'à la largeur désirée. Le fil du bois de chaque morceau doit se suivre afin de ne pas retrouver deux parties dans le tableau ayant un sens différent.

Une mince couche de colle est posée sur les deux surfaces à coller et étendue uniformément. Replacer immédiatement chaque morceau afin de garder la colle humide. Utiliser une colle à bois blanche ou crème, fabriquée à cette fin. Pour les sculptures extérieures, utiliser de la colle à base de résine ; pour les pièces intérieures, les colles animales ou végétales, ou toute colle dont les forces sont de 2500 à 3500 livres, sont indiquées. La plupart des colles sont bonnes. Les mauvais résultats proviennent souvent d'autres facteurs : pauvreté en colle, bois inégal, mauvaises conditions de séchage, faible pressage.

Reste maintenant à égaliser les lamelles. Serrer légèrement les serre-joints du dessous, puis vérifier si les morceaux de bois sont bien en place. Ajouter le serre-joint du dessus, puis resserrer fortement. Le pressage doit exercer une force égale partout.

Nettoyer les surplus de colle à l'aide d'un linge doux et de l'eau tiède, ou laisser durcir les gouttelettes de colle pouvant s'enlever aisément avec une méplate. Laisser sécher, minimum 6 heures, à température ambiante. Lorsque la colle est bien durcie, enlever les serre-joints, puis découper le panneau à l'équerre selon les dimensions désirées. Le panneau est prêt à recevoir son dessin et à être sculpté. Les tableaux de 24 pouces (60 cm) de largeur et plus sont lamellés-collés avec une légère courbe extérieure, 9 mm au mètre de large (3/8") ou 3 mm par 30 cm additionnel (1/8" au pied).

Si les pièces glissent sur la colle en les serrant, de petits clous les maintiendront en place durant le serrage. Diriger les clous dans la partie excédant le cadre, ou la silhouette de la sculpture.

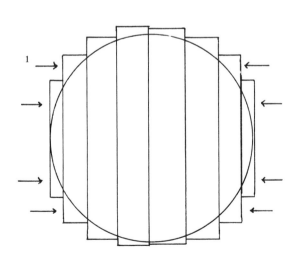

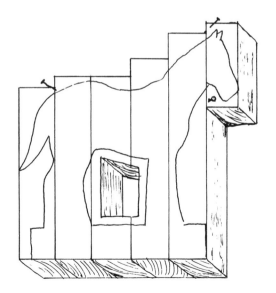

1.·Serre-joints à coulisse

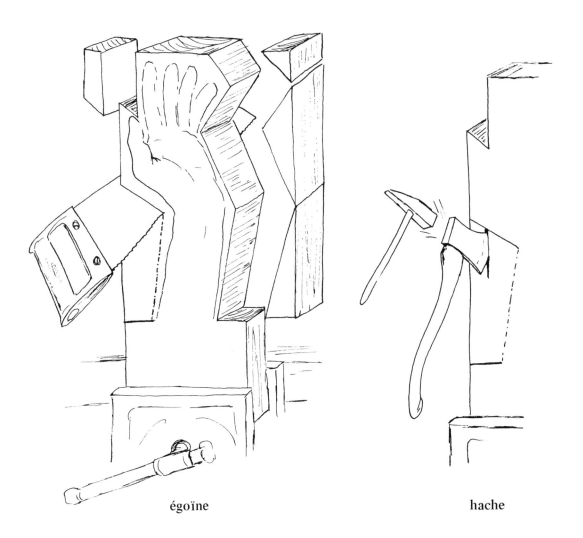

égoïne   hache

78

Chapitre 11

DÉGROSSISSAGE

La machinerie de préparation permet des collages de pièces de bois pour des sculptures à grand volume, où le sculpteur se sert de bûches ou blocs trop larges pour être dégrossis à la scie à ruban. On peut toujours commencer le dégrossissage avec une gouge creuse de 40 à 50 mm, mais il y aura sûrement des volumes de bois importants à enlever et la gouge s'avère trop lente, surtout si l'on ne possède pas de larges outils à dégrossir.

En suivant le dessin de la sculpture, tracer une silhouette excédant généreusement le dessin. Déterminer les masses de bois majeures à enlever. Utilisez la scie et la hache ou une tronçonneuse légère.

La hache favorise plutôt le dégagement du bois en le fendant jusqu'au tracé de scie effectué au préalable. À l'exemple de l'herminette, elle est placée à l'endroit de coupe et c'est la "tête de hache" qui est cognée jusqu'à l'éclatement du morceau à dégager.

La tronçonneuse dégrossit bien les grosses sculptures. Manipulé habilement, cet outil peut dégrossir et même ébaucher parfaitement une sculpture.

J'insiste sur une très grande prudence à prendre avec ces outils. Si vous ne vous sentez pas sûr de vous, ne pas les utiliser sans avoir acquis une maîtrise parfaite du travail à la tronçonneuse. Les pieds doivent adhérer au sol sans glisser ou buter sur des objets qui risqueraient de déséquilibrer l'opérateur. Tenir la machine à "bout de bras", loin du corps, et porter une visière.

Tronçonneuse

QUATRIÈME PARTIE

Exploration

Chapitre 12

EXERCICES

Comme tout art qui s'apprend, le sculpteur sur bois doit suivre des étapes. Garder en vue qu'après avoir étudié les techniques et les méthodes progressivement, la pratique développera la dextérité et le sens artistique.

Explorer le matériau en sculptant aveuglément dans un bloc de bois,

Couper en glissant légèrement de côté en tranchant le bois.

sans sujet précis. Cet exercice familiarise le débutant avec la résistance des fibres, leur sens nerveux et l'effet des gouges dans le bois. Chaque outil est soumis à un examen laissant apparaître son "pas" qui lui est propre. Soulever les copeaux, diriger la gouge dans tous les sens, couper, adoucir un trait afin de vaincre, au départ, la "peur d'enlever trop de bois". Avec les méplates, trancher et couper plusieurs fois. Dégager du bois ici et là en laissant le moins d'échardes et d'éclisses pour vous habituer à bien tailler dès le début. Si les gouges présentent une certaine résistance, couper le bois en tordant légèrement le manche vers la gauche ou vers la droite. Au lieu de pousser seulement, le taillant tranche en même temps qu'il pénètre dans le bois.

Une main sur le manche pousse le gouge : **positif**.
L'autre main sur la gouge guide et amortit : **négatif**.
Éviter les dépassements.

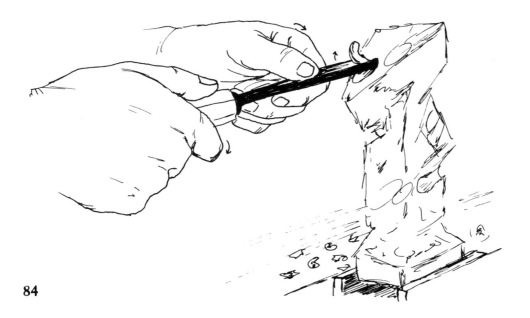

Exercice 1

Prenez un bloc raboté de 10 sur 20 cm et 25 mm d'épaisseur, en tilleul ou en pin. Fixez-le solidement dans un étau ou par deux petits serre-joints à la table de travail. Tracez au crayon un triangle, un cercle et un carré d'environ 38 cm chacun.

Creusez le triangle avec trois faces complètement plates, sans bavure et rejoindre chacune d'elles avec précision pour obtenir la forme d'une pyramide renversée, uniquement avec la gouge méplate de 20 ou 26 mm.

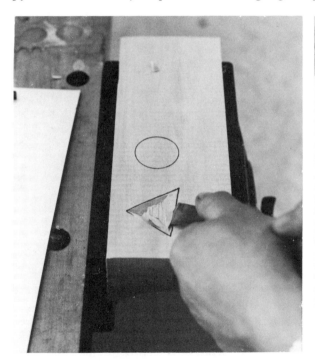 

Le cercle est creusé avec une demi-creuse de 20 ou 26 mm, en ayant soin de laisser le fond lisse comme si la face ronde d'une ampoule avait été imprimée dans du sable fin. Croisez le fil du bois pour plus de facilité.

Ensuite, tracez deux petits traits sur un côté du bloc, à environ 50 mm l'un de l'autre. Dirigez la gouge, une méplate de 20 mm, vers le centre, en creusant légèrement sans soulever le copeau. Reprenez le même geste en partant de l'autre trait. L'exercice consiste à rejoindre les mêmes fibres en laissant au centre une finition lisse, sans écharde et sans vallon.

Le carré est creusé à 6 mm de profondeur, avec 4 côtés égaux et propres, et un fond lisse et plat. Utilisez une gouge creuse de 20 à 25 mm pour creuser grossièrement. Égalisez le travail avec une plate de 20 à 25 mm.

Avec un burin, remplissez une surface du bloc d'un quadrillé formé de lignes parallèles croisées. Le burin, dirigé au travers du bois, coupe les fibres de ses deux ailes à la fois. L'une paraîtra couper correctement et l'autre semblera déchirer le bois. Repassez à l'inverse en coupant légèrement le côté laissé rugueux.

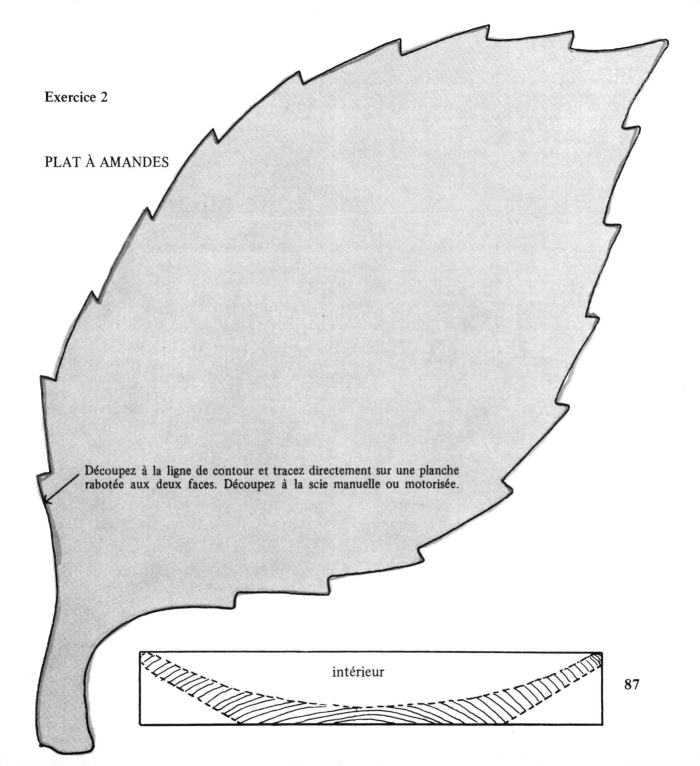

Exercice 2

PLAT À AMANDES

Découpez à la ligne de contour et tracez directement sur une planche rabotée aux deux faces. Découpez à la scie manuelle ou motorisée.

intérieur

87

Exercice 2

LE PLAT À AMANDES

Découpé à la scie, le morceau est placé à plat sur la table de travail. Tel qu'illustré, quatre petits blocs cloués ou vissés retiennent la feuille en place. Camouflez ou incrustez les clous ou vis afin d'éviter tout contact des outils sur ces pièces métalliques. La gouge coudée ou droite, 32 mm demi-creuse, enlève les premiers copeaux en rejoignant le fond du plat. Dirigez la gouge dans le sens contraire des fibres du bois. Une méplate 20 ou 26 mm égalise le fond des marques légèrement grossières laissées par la gouge précédente.

Tracez les nervures de la feuille au crayon et suivez ces lignes avec le burin. Commencez par la nervure centrale, puis marquez les nervures, partant de l'extrémité en dirigeant le burin vers la ligne du centre par un trait continu vers le bas, laissant une finition sans écharde et d'aspect naturel.

La feuille est déposée face contre la table et les petits blocs de soutien sont réajustés au contour pour tenir solidement la pièce. Le tour de la feuille est biseauté avec à peu près le même angle que celui de l'intérieur. La queue est arrondie. Complétez les saillies avec un couteau ou une méplate. AUCUN TRAIT DE SCIE NE DOIT PARAÎTRE. Le fil du bois est différent pour chaque dentée ; il sera ardu de couper sur le travers du bois. Vérifiez avant de trancher le bois pour ne pas briser les saillies du plat.

La feuille illustrée à la page précédente est une suggestion. Un autre modèle de plat de style différent est laissé à votre discrétion. Les exemples contenus dans ce chapitre ont pour but d'illustrer, au plan technique, la manière d'accomplir une première œuvre.

Exercice 3

CARICATURE

Le troisième exercice a pour but de se familiariser avec les principes de base de la sculpture sur bois : préparer l'œuvre en devenir, dégrossir, accentuer les traits, travail final dans un projet un peu plus simple pour commencer. De plus, cet exercice invite le débutant à donner de l'expression au personnage.

La plaquette est vissée à un morceau de contre-plaqué ou de préférence à une planche de bois plus grande que le dessin, d'un espace suffisant pour recevoir deux serre-joints afin de ne pas encombrer le mouvement des gouges. Enfoncez les vis dans la plaquette à des endroits plus volumineux pour ne pas les atteindre avec les gouges.

Abaissez la face, le thorax, l'arrière-tête et le dos avec une méplate. Utilisez ensuite une gouge creuse de 20 à 26 mm pour faire apparaître les formes du visage, du cou, du vêtement. Tracez ensuite au burin, 10 mm, les principaux traits : séparation du cou et du col, de la tuque et de la tête.

Arrondissez et aplanissez les formes avec une méplate, en alternant avec le burin pour les détails de l'oreille, du nez, de la bouche et des cheveux. L'œil est fait d'un outil pointu, tel que le fermoir ou le couteau. Puis, l'intérieur de l'œil est aplani avec une méplate étroite. Un ponçage léger, laissant voir les marques d'outils, complète le travail. Poncez toujours en direction du fil du bois : ne jamais les croiser. Le papier à ponce peut laisser des traces disgracieuses. Soulignons qu'on ne peut jamais réparer un mauvais coup d'outil par le ponçage. Perforez un trou de 10 mm au dos de la pièce pour la suspendre au mur.

L'exercice numéro 3 invite aussi le sculpteur à s'exprimer à sa manière s'il le désire. La caricature est sans limite : disposez du sujet présenté ici ou de votre cru.

Exercice 3

Découpez la silhouette et tracez le contour sur une planche de 20 mm d'épaisseur en tilleul, noyer ou pin. Il peut être simplement décalqué en se servant d'un papier carbone placé entre le dessin et la planche.

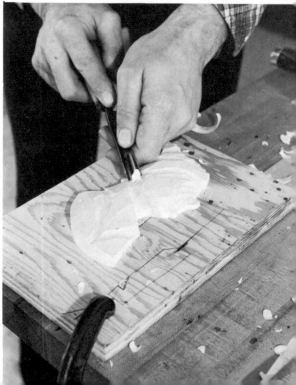

PREMIÈRES INVENTIONS

Ce livre démontre les techniques de sculpture sur bois, sans vouloir donner trop de recettes ou de modèles. Si des sujets sont parfois trop compliqués, tenez-vous en à des projets plus simples. On doit bien connaître ses gouges avant de parvenir à les maîtriser. Sachez les affûter convenablement et traversez une bonne période d'apprentissage avant de vous lancer dans des projets ardus.

Une évolution progressive comprend des expériences de contrôle. Plusieurs sujets de votre entourage n'attendent que l'œil de l'artiste pour être reproduits à votre manière.

Objets grossis :

bouton
plume
coquillage
dent
timbre-poste

Objets réduits :

botte
souche
animal
outil
meuble

Objets grandeur nature :

chiffon de papier
pierre
fleur
main
oiseau

Expressions :

arabesque
stylisé
cubisme

Chapitre 13

PRINCIPES DE BASE

Dessin
Dégrossissage
Ébauche
Modelage
Détail
Fignolage

Statuette (30 cm)

Un dessin précise à l'avance le projet de sculpture où les plus expérimentés s'attaqueront directement à la pièce de bois, sans croquis, de quelques traits furtifs. Ils improvisent, ou laissent les gouges traduire directement à la matière la forme en devenir.

Pour démontrer un processus d'exécution, une statuette intitulée "Catherine de Tekakwitha", est effectuée à partir d'un morceau de pin sec, aux dimensions de 7 x 10 x 30 cm.

La ronde-bosse nécessite souvent un deuxième croquis de profil. Il aide à visualiser d'avance ce que sera la sculpture terminée en ronde-bosse.

PRINCIPES DE BASE

Le dessin d'une silhouette légèrement plus grande que l'original sert aux lignes de découpage à la scie. On ne découpe jamais le profil précis. La scie dégrossit et laisse une distance de 6 mm au moins de la ligne de contour. Ce dégrossissage sert uniquement à enlever les plus gros surplus de bois préparatoire à l'ébauche.

Silhouette grotesque

Dégrossissage à la scie à découper sur les quatre faces

Ébauche à la gouge creuse 26 mm

La gouge creuse réduit le bloc de partout. Déjà l'œuvre prend forme. Un examen du dessin signale les formes, les volumes et les proportions à conserver. Cette gouge creuse est utilisée jusqu'à ce qu'elle ne fonctionne plus nulle part.

Détail. Précision du vê-
tement, membres, tê-
te, etc.

Finition complète de bas en
haut. Les pieds, la robe, les
mains et le visage. La croix
est insérée dans les mains
ou peut être sculptée à
même.

Modelage avec une
méplate. Stabilisation
des dimensions, lar-
geur, épaisseur, pro-
portions.

Le visage est sculpté
en dernière étape, à
cause de la fragilité
du nez.

101

Une gouge creuse de 20 à 26 mm sert à ébaucher le bloc. La gouge circule partout autour de la pièce afin de réduire le plus possible le bois en trop. Une autre gouge creuse plus petite circule dans les endroits plus restreints. Les creuses façonnent la pièce à la manière des doigts dans l'argile. Un détail coupé trop tôt peut provoquer une erreur de proportion. Vérifier le dessin. Lorsque les creuses ne sont plus utiles sur la pièce, le sculpteur utilise des méplates pour modeler la pièce, avec un peu plus de précision cette fois. On voit apparaître les jambes, la position du corps et du vêtement ; la tête est dégrossie sans trop détailler.

Viennent ensuite les composantes : les plis, les pieds, les mains et la tête. Les proportions sont vérifiées d'après le dessin et un mannequin sert de guide aux proportions du corps, s'il y a lieu.

On termine les pieds, les plis et les mini-détails du costume. Les mains et les doigts font leur apparition, la tête est aussi achevée, avec sa chevelure et son cou. Les traits du visage sont exécutés à la toute fin à cause de la délicatesse du nez. Un burin accentue les lignes de la chevelure et du vêtement.

Aucun trait de scie ne doit être visible. Pour plus d'aisance, la croix est sculptée à part dans le cas de cette sculpture. Elle est insérée dans les mains en pratiquant un trou de mèche de même grosseur au moment où la main est dégrossie. La croix peut être sculptée à même la figurine, à condition de le prévoir dans l'ébauche. Elle augmentera la difficulté quelque peu, mais donnera la satisfaction de présenter une sculpture réalisée dans un seul morceau de bois. Poncer légèrement, traiter à la cire, au vernis ou autre.

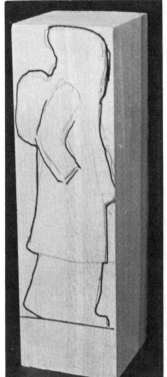

FIGURINE 18 cm tilleul

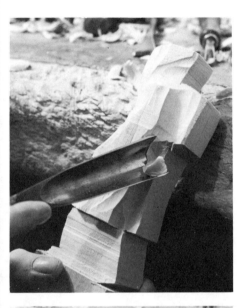

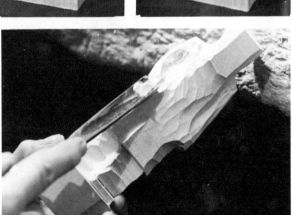

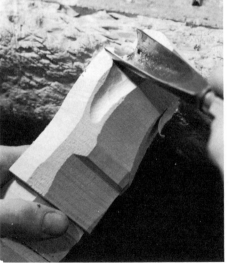

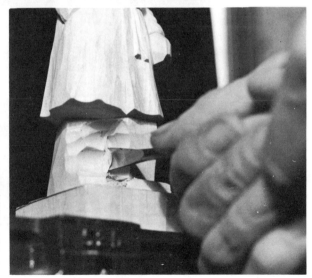

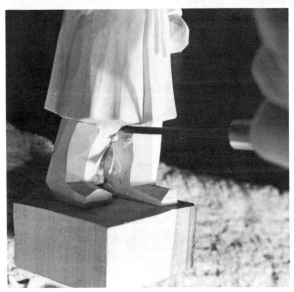

L'ébauche demeure l'étape importante. Il faut presque voir la statuette
terminée dans le bloc avant de la commencer. Cette faculté s'acquiert
avec l'expérience. Il y aura moins d'hésitation et les erreurs de parcours
s'élimineront d'elles-mêmes.

108

Chapitre 14

TÊTE SCULPTÉE

Généralement, le débutant réussit assez vite à présenter le corps et les membres d'un corps correctement. Cependant, la tête, le visage surtout, nécessite un peu plus d'adresse. Examinez attentivement les 27 images de ce chapitre.

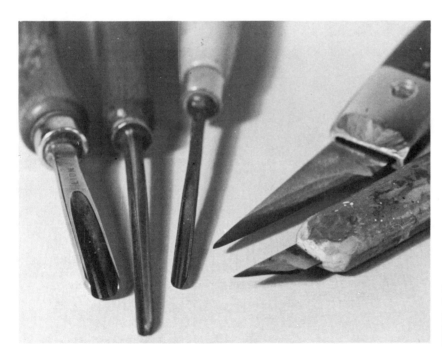

couteau à longue lame
couteau à pointe fine
gouge creuse 10 mm
gouge creuse 3 mm
burin   3 mm

bloc de bois de 38 × 38 × 200 mm (tilleul)

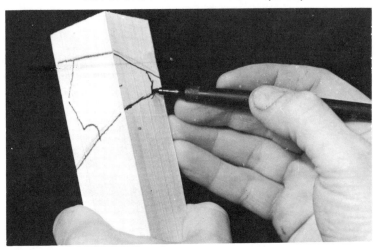

Tracer au crayon le profil sur deux côtés du bloc afin de situer la partie frontale à un coin du bloc.

Ouvrir légèrement en dégageant un peu de bois à la nuque.

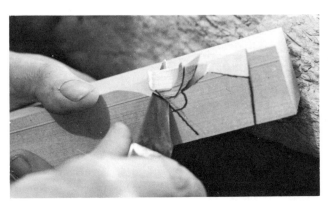

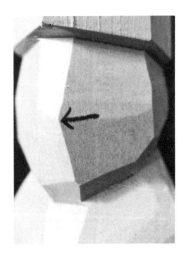

Couper à partir du bout du nez vers le bas de la casquette. Couper ensuite du bout du nez vers le bas en contournant le menton légèrement.

Dégrossir : front, joues et la nuque en stabilisant immédiatement les épaules.

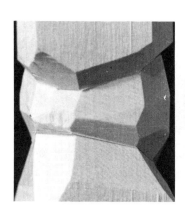

Dégager le cou, les favoris et le nez.

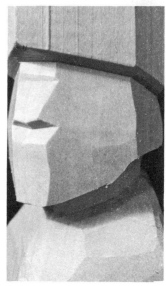

Pratiquer deux coups de pointe égaux de chaque côté du nez, à la hauteur des yeux, en dirigeant le tranchant de la lame vers l'œil.

Dégager le nez en suivant le contour du bas de l'œil et la surface de la joue, en laissant une certaine forme triangulaire allongée pour l'œil. Réduire la moustache, le creux du menton. Séparer légèrement la bouche de la moustache. Égaliser et proportionner le faciès. L'œil : dégager en coupant le haut de la paupière et l'arc sourcilière. Couper le bas de la paupière en rejoignant la surface de l'œil.

112

Contourner l'oreille, vider l'arrière en rejoignant le cou. Donner les ondulations de la chevelure avec une creuse et marquer les cheveux au burin.

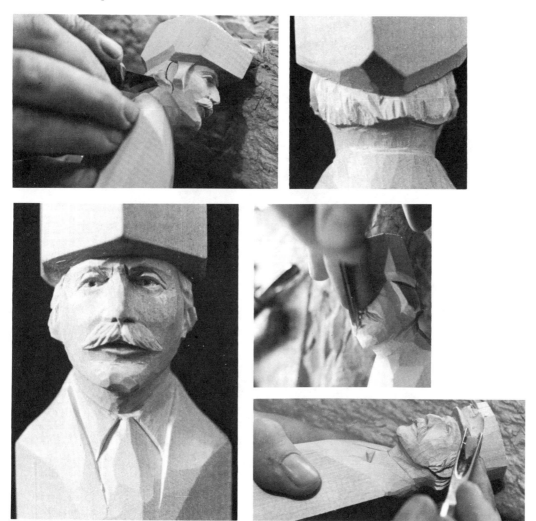

Creuser soigneusement deux petites cavités identiques au centre de l'œil. Ce détail donne l'expression des yeux. Une déformation fera loucher du regard. Un coup de pointe au bas et au haut et dégager cette petite parcelle de bois.

Avec une creuse, dégrossir la casquette légèrement de façon à ce qu'elle soit proportionnelle avec la tête. Finir au couteau.

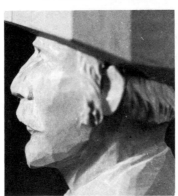

114

Chapitre 15

LE BOURLINGUEUX

Un bloc de pin de 6 × 6 × 14 (15 × 15 × 36 cm) a été utilisé en vue de ce buste. La ligne centrale du visage passe sur un coin du bloc. Le dégrossissage s'effectue à la gouge demi-creuse 40 mm plutôt qu'à la scie.

Seules quelques lignes au crayon déterminent l'emplacement de la face par rapport au reste. Le bloc est fixé dans un étau ou retenu sur la table par une vis d'établi.

La gouge demi-creuse s'attaque à la tâche en prenant soin de ne pas faire déborder de bois plus que sa propre largeur. Le maillet frappe le manche coup après coup, enfonçant la gouge dans le bois.

Ensuite, une creuse de 26 mm ébauche le visage. L'emploi d'une mé-plate de 32 mm effectue le travail plus rapidement et laisse un tracé plus net. Les gouges trop petites ont tendance à laisser des rainures disgracieuses. La grosseur de la gouge varie selon la quantité de bois à enlever.

116

À cette dimension, les mesures sont plus faciles à prendre ; par contre, une disproportion est plus visible. Un examen des angles du nez, des joues et des yeux pratiqué sur un modèle aide à respecter l'anatomie du visage.

À l'étape de l'ébauche, laisser une certaine épaisseur de bois, sans trop exagérer. Redessiner les principaux traits en se référant aux bonnes proportions. Puis, les gouges sont reprises en insistant aux endroits à

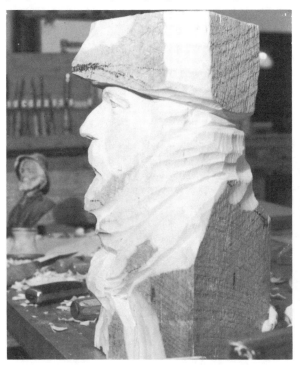 

couper. On s'éloigne de la sculpture afin de vérifier l'ensemble du travail, on examine les côtés de la ronde-bosse pour évaluer le résultat obtenu et quels seront les endroits à modifier, à accentuer ou à atténuer. C'est le même principe que la petite tête sculptée, sauf que les gouges diffèrent de grandeur et que le couteau est absent.

La physionomie comporte l'ensemble des traits caractéristiques du visage. Ils déterminent l'expression. Un sentiment puissant tel que le rire, la douleur, etc., fera entrer en action les yeux, la bouche, le front, les sourcils et les joues, lesquels sont reproduits en conséquence.

Le fignolage consiste à enlever les coups robustes de gouge laissés lors de l'ébauche. On choisit des gouges dont la forme s'apparente le mieux au relief désiré. La gouge suit continuellement le fil du bois et les recoins sont coupés proprement. Les marques de gouge ont un effet que l'on doit conserver. Éviter les coups de pointes disgracieux.

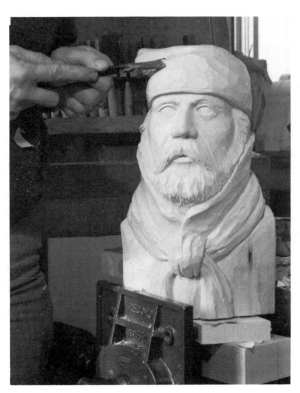

"La cabane du pêcheur" 12" × 16" × 3/4" (29 × 40 × 2cm)

Chapitre 16

PETITE MURALE

La cabane du pêcheur

Ce croquis simple montre la manière d'exécuter une petite murale sur
une planche rectangulaire que l'on nommera *bas-relief* . Le dessin est
placé sur la planche avec un papier carbone entre les deux. Un crayon
à pointe sèche trace les lignes de contour et reproduit les détails de la
scène. La planche est fixée sur un chevalet et retenue par deux serre-
joints. Des petits rectangles de bois empêcheront les serre-joints de mar-

quer la surface du tableau. Le fil du bois doit toujours être à la verticale: le travail s'exécutant mieux ainsi et la sculpture présente un meilleur effet.

Le fond est d'abord creusé aux deux-tiers de l'épaisseur de la planche avec une gouge creuse ou demi-creuse de grand format. Une méplate de 26 mm aplanit les marques laissées par les gouges à dégrossir et coupe le contour de la cabane du pêcheur, en laissant une certaine distance à préciser plus tard. Le terrain est légèrement aplani; utiliser une méplate.

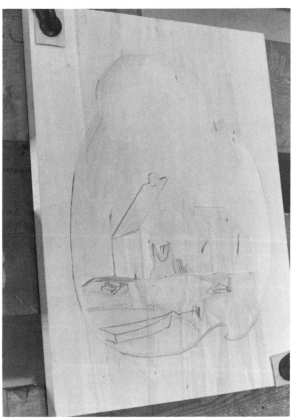

Le mur de la façade est abaissé à partir du coin avant jusqu'au fond en le stabilisant sur le terrain. Le versant gauche du toit est abaissé de la même manière en surveillant la perspective. Le toit se trouve plus étiré, donc la largeur est rectifiée en réexaminant le dessin. Détailler les planches des murs et les bardeaux du toit.

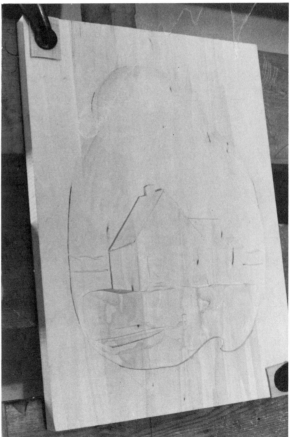

L'annexe arrière est creusée légèrement par rapport à la cabane et le versant du toit est aussi abaissé légèrement. L'eau entourant la chaloupe est abaissée et fait ressortir le volume nécessaire à l'embarcation. Les formes se précisent : les montagnes au loin, la mer, le terrain accidenté, la chaloupe, la galerie et ses marches. Les détails de finition sont exécutés au burin.

CINQUIÈME PARTIE

Le dessin

Chapitre 17

LA COMPOSITION ET LA PERSPECTIVE

Le dessin

Le dessin est à l'origine de tout projet. Le peintre, l'architecte et tous les artistes y attachent une très grande importance. Il assure une meilleure dextérité, incite à la créativité, prépare les plans nécessaires avant exécution.

On retrouve plusieurs artistes qui composent et s'exécutent sans dessin. Cela est attribuable à une vision des choses bien imprimée en mémoire; la main traduit au fur et à mesure ces images directement à la matière. D'autres préfèrent fixer sur papier la conception de l'idée en se servant du dessin ou du croquis.

En sculpture sur bois, les lignes de crayon disparaissent de la surface, car il faut continuellement creuser en profondeur. Le sculpteur refait quelques traits à nouveau afin de repérer la forme à venir, sans déroger de l'idée principale. De là, la nécessité d'un croquis ou d'un dessin qui servira de lecture durant toutes les phases de l'exécution.

Pour des sculptures plus complexes, comme la ronde-bosse, l'artiste prépare un croquis de face et dessine un profil. Quelquefois, il dessinera en perspective les quatre faces de la sculpture projetée. Ceci permet de prévoir un ·meilleur équilibre à toute la sculpture, sans être pris au dépourvu durant l'exécution par un oubli de conserver une masse, un volume, ici et là. Cette méthode évalue la quantité de bois nécessaire à l'œuvre.

L'abondance de livres et traités sur le dessin, l'accessibilité aux cours offerts dans plusieurs localités, contribuent à une bonne information de base en dessin. On retrouvera ici quelques trucs utiles en sculpture sur bois.

Composition

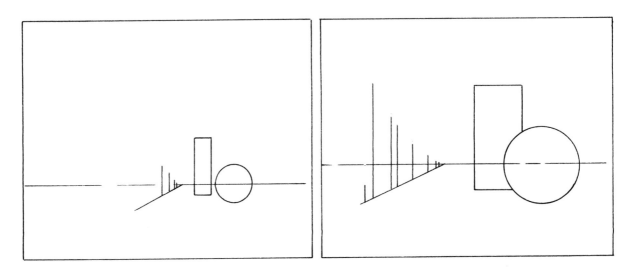

Savoir composer signifie former un tout en assemblant différentes parties en harmonie avec les formes et les masses. L'image doit être souple, équilibrée et agréable à l'œil. La manière de composer varie infiniment et chaque artiste possède une perception qui lui est propre.

Il faut définir les espaces vides et les espaces pleins, c'est-à-dire mettre en page un dessin avec des dimensions proportionnelles à celle de la feuille. Une forme trop petite semblera perdue dans le croquis, une forme trop grande affaiblira le reste du dessin. La composition s'obtient par l'observation des formes, des objets et des gens qui nous entourent. Tel un photographe, l'artiste détermine le sujet principal, le situe dans sa mise en page et ajoute les éléments l'entourant sans charger. Il équilibre l'ensemble en harmonie avec le sujet principal.

Composition et perspective

(50) *La chaleur du foyer*

henri deschenes 1979

Perspective à 2 points de fuite

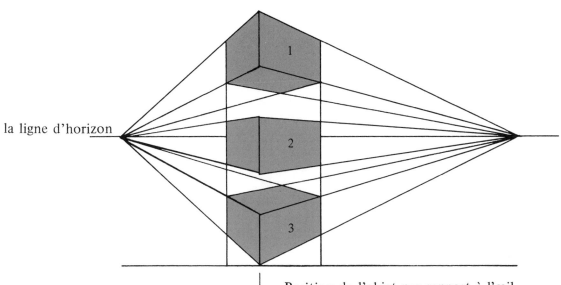

la ligne d'horizon

Position de l'objet par rapport à l'œil.

131

Un meuble

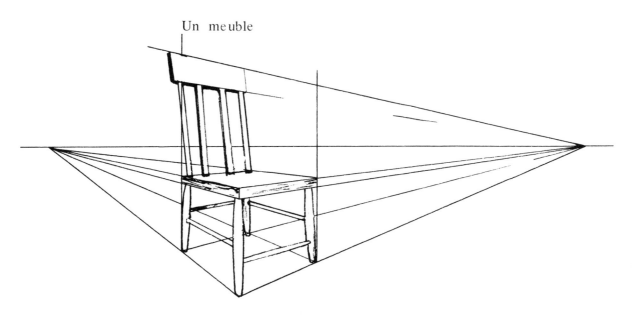

Perspective du personnage

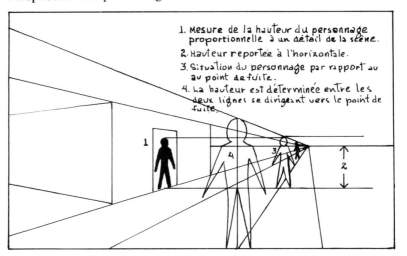

1. Mesure de la hauteur du personnage proportionnelle à un détail de la scène.
2. Hauteur reportée à l'horizontale.
3. Situation du personnage par rapport au point de fuite.
4. La hauteur est déterminée entre les deux lignes se dirigeant vers le point de fuite.

Chapitre 18

LE MANNEQUIN

Le mannequin est une petite figure de bois, dont les membres sont articulés. Il sert à composer un mouvement et localiser les proportions du corps. Les hauteurs varient de 12, 14 ou 16 pouces (30, 35 ou 45 cm). Il est présenté en deux versions : mâle ou femelle.

On peut aussi fabriquer un mannequin de carton rigide, dont les pièces sont reliés aux articulations. Le mouvement désiré s'obtient en déposant le mannequin de carton à plat sur une table. Il comprend 15 morceaux, aux proportions du corps humain.

Pour le dessiner, déterminer la position des pieds, *le sol*, et la hauteur du personnage par deux traits. Diviser cette distance en deux, le bassin reposant sur la ligne du centre. Tracer un ovale en forme d'œuf pour la tête : le haut sera la surface du crâne et le bas situera le contour du menton. La hauteur de la tête est égale à 1/8 de la hauteur du personnage, ou plus précisément 1/7,5. Dessiner un ovale un peu aplati représentant la cage thoracique. Conserver une distance de 1/3 de la hauteur de la tête environ pour le cou. La distance entre les épaules correspond à deux hauteurs

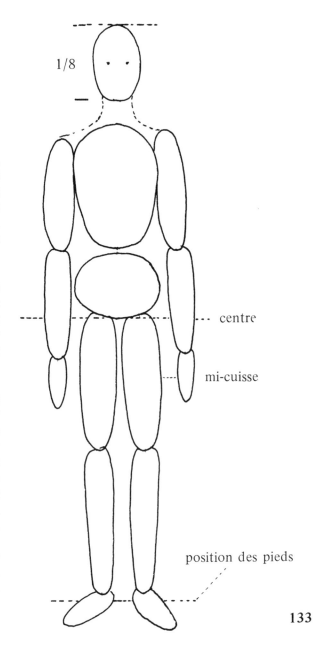

1/8

centre

mi-cuisse

position des pieds

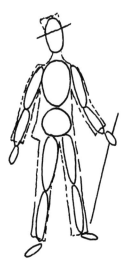

de tête. Dessiner les membres supérieurs : l'avant-bras, de l'épaule à la ceinture et le milieu de la main est égal au milieu de la cuisse. Vérifier soi-même. Descendre un bras le long du corps en position debout. Marquer l'endroit sur la cuisse égal au milieu de la main. Soulever le genou à la hauteur de la hanche, puis vérifier si la mi-cuisse est exactement au centre entre les genoux et l'arrière du bassin.

Terminer le mannequin en dessinant les membres inférieurs suivant l'illustration. Tracer légèrement ces 15 morceaux sur une feuille de papier avec le mouvement recherché. Le corps est reproduit en suivant les formes du mannequin. Habiller et ajouter les accessoires s'il y a lieu.

Chapitre 19

PROPORTIONS DU CORPS HUMAIN

Proportions du corps humain

Les proportions du corps humain sont de 8 têtes pour les corps d'adul-
tes et de 5 pour un enfant de trois ans.

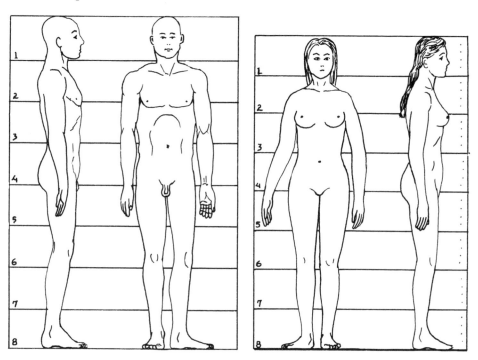

Le système de mesure le plus connu est le canon grec de Polyclète, dont la tête était contenue sept fois et demie dans la hauteur totale du corps. Salvage a imaginé un canon répondant à 8 têtes d'hommes et de femmes.*

Le squelette de la femme est plus petit que celui de l'homme, les os sont plus minces, plus délicats, avec des courbures moins prononcées. Les saillies et les formes musculaires sont également moins prononcées. Le crâne de la femme est plus petit et le visage plus arrondi. En proportion de celui de l'homme, le dos de la femme est plus allongé. Le bassin est différent et plus large. Les membres inférieurs sont généralement plus longs et les bras plus arrondis.

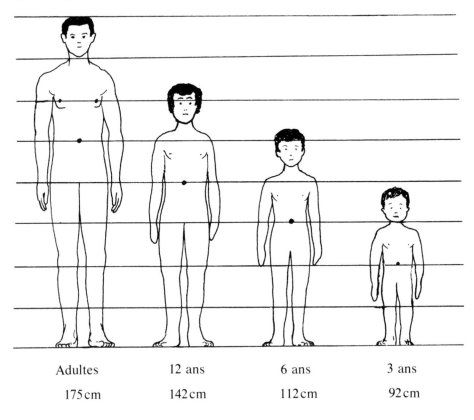

| Adultes | 12 ans | 6 ans | 3 ans |
| 175 cm | 142 cm | 112 cm | 92 cm |

* Larousse Médical.

Le visage

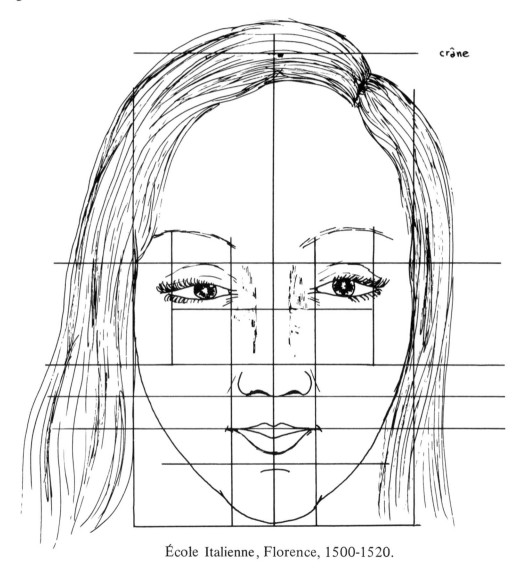

crâne

École Italienne, Florence, 1500-1520.

L'expression, le sentiment, l'âge, la race : tout se retrouve dans le visage. Il existe des données précises sur la façon de procéder. En sculpture, la ronde-bosse doit démontrer la forme du visage, ses volumes et ses traits. Un guide simple palliera aux difficultés de réaliser un visage.

Dessiner un ovale en forme d'œuf, avec la partie plus large en haut. Tracer une ligne droite horizontale à mi-chemin entre le dessus du crâne et le menton : c'est la ligne des yeux. Noircir dans la ligne deux cercles pour l'iris. La distance entre le centre des yeux est de 1/3 de la hauteur de la tête. De cette largeur, tirer un triangle équilatéral situant la base du nez. La largeur de l'ouverture de l'œil est calculée de manière à laisser la même distance entre les deux yeux. Si la nature l'avait voulu, il y aurait exactement la place d'un troisième œil entre les deux déjà existants.

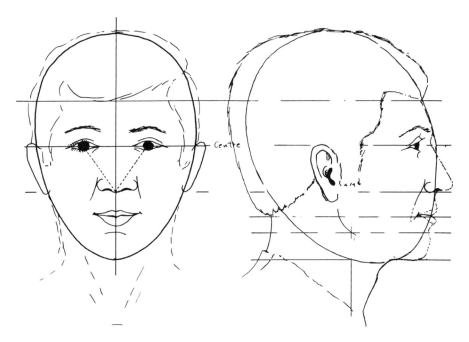

Petites observations

La hauteur de l'oreille (la partie qui touche le crâne) est égale à la hauteur du nez. Le reste de l'oreille emprunte différentes formes selon les individus. Le 1/3 de la distance entre le menton et le nez tombe au-dessus de la lèvre inférieure. Le nez est légèrement plus large que l'écart entre les deux yeux.

Le profil s'obtient en traçant un œuf légèrement penché vers l'arrière, plus ou moins selon les individus. Le profil se dessine en suivant les proportions du dessin de face. Remarquer que le col de la chemise, sur la nuque, est égal à la base du menton. La distance entre le menton et la base du nez est égale à la hauteur du cou. Cette distance est également la même que la largeur des quatre doigts de la main, au début des phalanges.

Le corps humain est merveilleux et rempli de petits détails semblables qui permettent une mémorisation rapide des proportions anatomiques si importantes en sculpture.

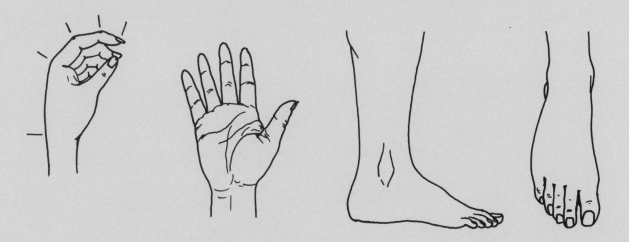

Chapitre 20

LES TECHNIQUES D'AGRANDISSEMENT ET DE REPRODUCTION

Il arrive quelquefois que la reproduction d'un sujet en plus grand ou en plus petit soit complexe et difficile à maîtriser. Le dessin d'après nature requiert beaucoup d'habilité visuelle et manuelle. Le sculpteur choisit son sujet et l'exécute à sa manière, sans contrainte, en reproduisant sur papier l'image de sa propre perception des choses. C'est un défi !

Parmi de nombreuses techniques de reproduction ou d'agrandissement, nous en présentons quatre, fort utiles à un sculpteur :

— le quadrillage
— le pantographe
— le compas maître-de-danse
— l'argile.

Le quadrillage

Disposer en carrés contigus et égaux toute la surface du dessin à reproduire. Numéroter les rangées horizontales et verticales à la manière des
jeux de mots croisés. Tracer ensuite un deuxième quadrillage sur une
feuille vierge avec des carrés réduits, ou augmentés, du nombre de fois
désiré. Numéroter aussi ce deuxième quadrillage. Chaque carré correspondant à l'autre se reproduit aisément. Ce vieux procédé est employé
encore aujourd'hui et donne de bons résultats. Il assure l'exécutant
d'une reproduction assez fidèle des proportions et de l'ensemble du sujet.

Le pantographe

Le pantographe est un instrument en forme parallélogramme, avec des articulations ajustables pouvant reproduire un dessin plus grand ou plus petit. Une partie est fixée à une table, une pointe sèche suit le dessin original et une mine de crayon, située à l'extrémité du pantographe, reproduit le dessin.

Les chiffres des barres composantes indiquent le rapport d'agrandissement; le curseur est déplacé en conséquence. Pour réduire un croquis, la pointe sèche et la pointe de traçage sont inversées.

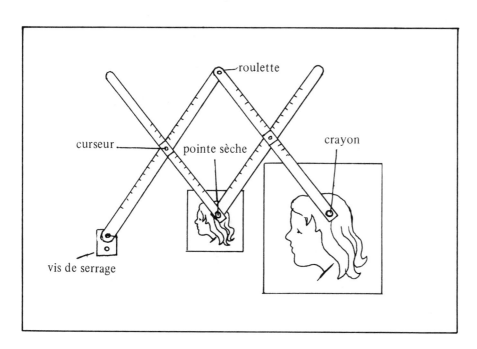

143

Le compas maître-de-danse

Le compas maître-de-danse remplace aussi les autres compas car il possède un double usage. Il est composé de deux ouvertures courbées et reliées par un curseur ajustable. Le chiffre indiqué au croisement des tiges donne le rapport de reproduction.

On l'utilise en se servant des arcs directement du sujet à l'œuvre en devenir, aussi bien en plus petit qu'en plus grand, ou en grandeur nature. Le compas maître-de-danse s'emploie lors des travaux de ronde-bosse, faciès ou sculpture d'après modèle.

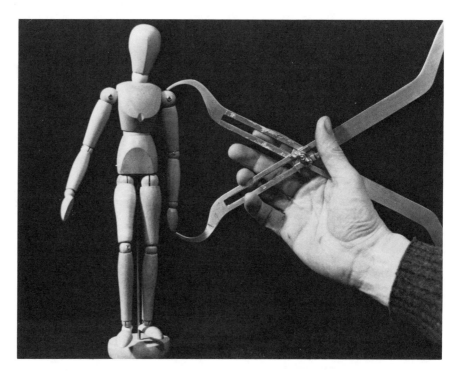

Mannequin de bois et compas maître-de-danse

Le modelage

Quelquefois, le sculpteur opte pour le procédé de modelage, réalisant l'œuvre en terre avant de l'exécuter en bois. Outils simples, matériau malléable : la forme de la sculpture est rapidement façonnée. Le modelage ajoute plus de force, plus de certitude au projet à venir. La terre argileuse s'enlève et s'ajoute aisément. Les corrections s'accomplissent en toute liberté.

Choisir une terre argileuse à modelage, ou toute terre utilisée par les potiers ou céramistes. Un ébauchoir, des mirettes, un couteau sont les outils qui servent à l'exécution. On peut fabriquer soi-même ces outils, en bois dur généralement.

Afin d'éviter une trop grande quantité de terre, certains projets débutent par un montage, avec armature solide habillée de chiffon. L'argile entoure ce noyau central sous forme grossière et réduite du modèle. Le modelage s'effectue sur la sellette, à plateau tournant si possible. Le relief est travaillé à plat sur un fond en contreplaqué, ou directement sur une table qu'on aura pris soin de recouvrir d'un papier ciré ou plastique avant d'y déposer la terre.

La technique du modelage permet d'éviter des erreurs de parcours, aide à visualiser la sculpture dans toutes ses formes et toutes ses dimensions et devient un excellent préliminaire à la sculpture sur bois.

LE MODELAGE

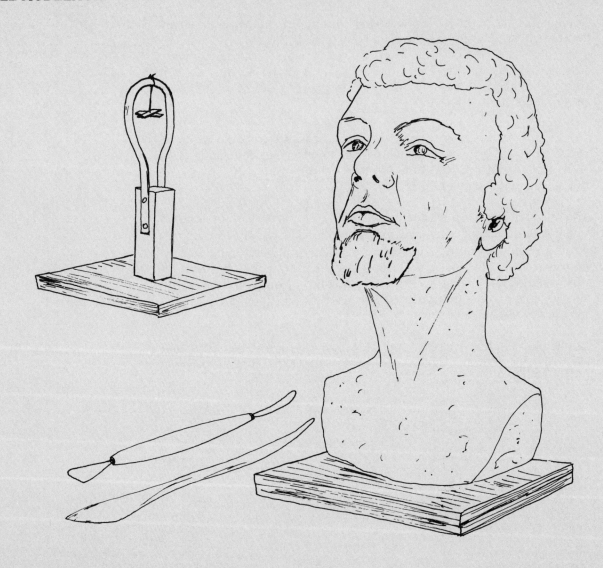

SIXIÈME PARTIE

Expressions

sculpture sur bois

Identification et commentaires, page 185

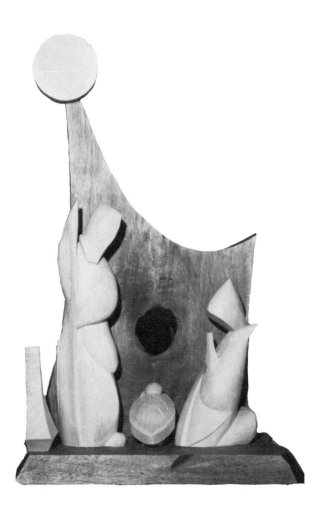

151

153

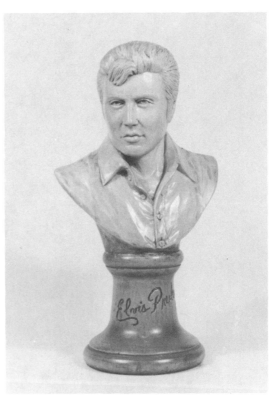

154

155

156

157

Tourbillon

159

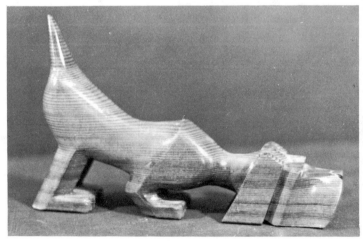

161

162

163

"LA CALÈCHE"

164

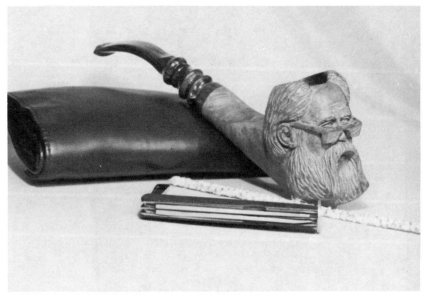

167

168

169

RENCONTRE

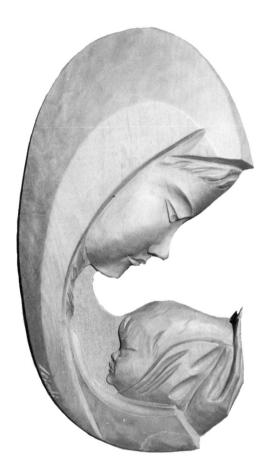

177

178

Sermon du dimanche   St Jean Port Joli   1959

180

181

182

Photographie: Musée du Québec.

Sculpture sur bois

IDENTIFICATIONS ET COMMENTAIRES DES PHOTOGRAPHIES DE LA SIXIÈME PARTIE

Cette PARTIE ''Les expressions'' présente des œuvres réalisées par différents sculpteurs sur bois. Le monde de la sculpture est vaste et le nombre croît sans cesse depuis plusieurs années. Je vous incite à visiter toute manifestation: symposiums, expositions, galeries, musées.

Cette courte ''randonnée visuelle'' démontre une infime partie des possibilités qu'offre le bois, un matériau qui n'en finit plus de nous émerveiller. La sculpture témoigne inévitablement du passage de la main de l'homme d'une époque et reproduit sa pensée, sa vie et son environnement immédiat.

Nous ne pouvons demeurer insensibles à l'essor qu'a prit la sculpture sur bois en sol québécois depuis des siècles. Examinez attentivement le travail de chacun. J'ai réuni dans cette partie des photographies d'œuvres de plusieurs auteurs : statues, murales, objets utilitaires, meubles et petites sculptures avec une rétrospective de plusieurs générations de sculpteurs.

149

HIBOU en bois de sumac, 0,40 m. La branche est naturelle et le socle en noyer cendré. B.D.*

L'ÉPOUVANTAIL, 0,61 m, sculpté en bois de tilleul sur base en noyer cendré. B.D.

150

VISAGES, 0,30 m en pin fini laque enduit d'une teinture semi-transparente noyer essuyée avant séchage. Il n'y a qu'une seule tête et une incision légère dans le faciès fait voir un profil.

CARICATURE du peintre Scayola. Plaque murale en tilleul grandeur nature.*

* Benoi Deschênes

LE COUPLE. Hauteur 0,60 m. Sculpté dans une planche de tilleul avec conservation de l'écorce. B.D.

CRÈCHE DE NOËL. La composition et le dessin des personnages ont été obtenus par l'agencement de lignes arabesques. Figurines en tilleul et crèche en noyer cendré. La partie du nœud, à vide, sert de fenêtre. B.D.

VOILIER "Avorix". Murale découpée en noyer cendré lamellé-collé. Hauteur 0,60 m (Collection privée). B.D.

FILLETTE, 0,40 m, en pin. Un enduit de teinture semi-transparente à base terre de sienne naturelle claire a été appliquée avant la finition laque. Les lignes douces ajoutent simplicité et jeunesse. B.D.

LE MENDIANT ET LE CHIEN. Hauteur 0,20 m en bois de tilleul teint noyer. B.D.

ELVIS PRESLEY. Buste en tilleul, hauteur 0,20 m, B.D. L'ébauche terminée, le socle est tourné entièrement avant de poursuivre le travail de sculpture. Prévoir un excédent de bois à la tête et à la base pour les mâchoires du tour.

LUTTE OLYMPIQUE. Hauteur 0,30 m. Trophée sportif, groupe Lapocatière. B.D.

SOLDAT DU ROYAL 22e RÉGIMENT AU REPOS en pin sur base noyer, hauteur 0,35 m. La carabine a été façonnée séparément et fixée à la main du militaire. B.D. Photo : Conrad Toussaint.

FISTON. Pièce sculptée en pin, hauteur 0,61 m. B.D.

CHRIST GLORIEUX. Hauteur 16 cm. Cette sculpture a servi de "maquette" à un projet pour l'église du Précieux-Sang, Saint-Boniface, Manitoba. Reproduite à 1,80 m, la tête et les membres sont figuratifs et la tunique s'harmonise à la décoration intérieure de l'édifice. B.D.

JÉSUS EST CONDAMNÉ À MORT. Hauteur 0,33 m. Première Station du Chemin de Croix de la même église composée de trois personnages chacune. À noter que la nouvelle liturgie a adopté quinze Stations Historiques légèrement différentes de l'ancienne. B.D.

157

MUSTANGS. Ronde-bosse composée de seize chevaux sauvages parcourant la plaine. Noyer cendré, longueur 1,16 m. Un seul mâle en tête conduit la horde, les poneys suivent la file et les femelles constituent le groupe principal. Les sentinelles, aux oreilles pointées, avertissent l'attroupement de tout danger. B.D. Photo : Studio du Port-Joly.

158

TOURBILLON. Statue de 1 mètre de hauteur en pin fini laque et teinture essuyée pour faire ressortir les détails, particulièrement les gouttes de pluie sur le capot et le visage. B.D. Photo : Courtoisie C.N.E. Toronto.

159

SAUVETAGE est un bas-relief en pin lamellé-collé, 0,89 m par 1,07 m et 5 cm d'épaisseur. L'action se passe au Lac-Trois-Saumons durant le "charroyage" du bois en hiver. Au printemps, il devenait dangereux d'emprunter cette voie. B.D.

160

SOLEIL sculpté en pin fini naturel. Diamètre 0,75 m. Réalisation : Daniel Chouinard. La face est sculptée en relief avec une rainure à sa circonférence supportant les rayons. Sculpture murale ou mobile.

LE FOUINEUR est l'œuvre de Dick Belcher sculptée en cèdre rouge tendre. Le grain du bois collabore à l'action du geste. Stylisé.

LA MADONE ET L'ENFANT d'Austin Dayton, Ohio. Hauteur 0,37 m, réalisée en noyer noir d'Amérique.

161

CANARD PILET de l'animalier Lawrence Linglex d'Estport, Maine. Longueur 0,40 m est en bois de pin polychromé.

LES OIES en noyer noir d'Amérique. Longueur 0,24 m par R.L. Buyer, U.S.A.

162

LA JUMENT ET SON PETIT en noyer cendré de Gaétan Deschênes. Dimensions de 0,38 par 0,38 m.

IRISH-SETTER, noyer cendré naturel par Gaétan Deschênes. Longueur 0,35 m.

163

CHEVREUILS ET CHEVAL en noyer noir stylisés par W. Ross, U.S.A.

HIBOU en noyer cendré par Noël Guay, Saint-Jean Port-Joli, hauteur 0,40 m. Les animaux sont d'excellents sujets en sculpture sur bois à cause du grain complice à l'anatomie animale.

164

LA CALÈCHE DU VIEUX QUÉBEC en tilleul par Gaétan Deschênes, Saint-Jean Port-Joli. Longueur 0,75 m. Voiture à cheval miniaturisée. Toutes les pièces sont sculptées séparément et collées.

165

LE CAMELOT de Clermont Gagnon, Saint-Jean Port-Joli. Hauteur 0,46 m. Pin.

166

PIPE sculptée de style Incas, auteur inconnu. (Collection privée)

PIPE en bois de bruyère exécutée par Conrad Ouellet, Saint-Jean Port-Joli.

167

INDIEN. Buste en pin par Ronald Rondeau, Québec. Grandeur nature.

168

ROSE DE FEMME, pin naturel, 0,38 m par 0,41 m. Oeuvre de Suzelle Thériault, Sainte-Perpétue.

FLEURS. Lise Couture de Québec. Ces deux sculptures démontrent que les femmes peuvent aussi facilement s'exprimer en sculpture sur bois.

169

JEANNE NADEAU assemble des copeaux de bois d'essences différentes dans un montage floral. Chaque pétale, feuille ou tige provient du résultat obtenu méthodiquement du "pas" d'un outil. C'est la magie de la gouge à sa manière. Les couleurs s'obtiennent en utilisant le soumac, le tilleul, le noyer, l'acajou et bien d'autres. Le fond est en frêne avec conservation de l'écorce. Hauteur 0,75 m.

MASQUE du Malawi, auteur inconnu, hauteur 0,21 m. Bois d'acajou africain.

170

ROSETTE en bois d'acajou africain. Motif floral. Diamètre 0,50 m. Auteur Jean-Raymond Bourgault de Saint-Jean Port-Joli. Photo : Studio du Port-Joly.

TABOURET "Régence" (France), sculpté en bois d'acajou cubain. Hauteur et largeur 0,45 m   1968. J.-R. Bourgault. Photo : Studio du Port-Joly.

171

CHANDELIERS en tilleul, hauteur 0,60 m. Influence "Leprochon", élève de Quévillon. Oeuvre de Jean-Raymond Bourgault, 1981, pour l'église de Saint-Isidore de la Prairie. Photo : Conrad Toussaint.

LUTRIN en bois de chêne. Propriété de Claude Létourneau, violoniste. Fleurs-de-lys sculptées sur la base. 1980. J.-R. Bourgault. Photo : Conrad Toussaint.

172

BATEAU MINIATURE "Nonsuch". Navire anglais du temps de Charles II qui servit au transport de la fourrure du Nouveau-Monde. Longueur 53 pieds. Échelle 31/64. Ce bateau à voiles prenait 44 jours à traverser l'océan Atlantique. Sculpteur : Honoré Leclerc, Saint-Jean Port-Joli. Photo : Studio du Port-Joly.

173

ARMOIRE QUÉBÉCOISE d'esprit Louis XIII en pin à losanges et croix Saint-André. Les panneaux des portes comportent des fleuries traditionnelles. Ce meuble sert de lingerie.

174

RENCONTRE, 0,60 m. Couple en ronde-bosse en pin fini laque et teint rustique. Amédée Gaudreau, sculpteur, Saint-Damase, L'Islet.

175

LA MADONE ET L'ENFANT du sculpteur Albert Nadeau, Saint-Jean Port-Joli. Noyer cendré, hauteur 0,56 m. Composition sereine, drapé recouvert de nombreux pas de gouge laissant une texture agréable. (Collection privée). Photo : Conrad Toussaint.

176

LES JOUEURS DE DAMES. Sculpture en pin réalisée d'un seul morceau de bois. Hauteur 0,30 m. Vidé de son bois le dessous des chaises requiert beaucoup de précautions. Les entremises des pattes ont le fil du bois en hauteur. Une ouverture à la mèche enlève une partie du matériel. Les coudées et les méplates terminent la sculpture des creux. Marcel Guay, Saint-Jean Port-Joli.

177

LA MADONE. Hauteur 0,43 m, en noyer cendré légèrement teinte noyer. Lignes pures et composition aérodynamique de la Vierge et l'enfant. Antoine Bérubé, Saint-Jean Port-Joli.

PETIT PÊCHEUR DE TRUITES. Hauteur 0,38 m en bois de pin. Clermont Gagnon, Saint-Jean Port-Joli.

PRÉMARINE, 1982. Conception et sculpture : Jacque-Ouellet St-Hilaire, Saint Jean Port-Joli. Murale d'une jument représentant un médicament pharmaceutique inséré d'une façon subtile dans la crinière par une fleur. Les ondulations évoquent la mer. (Courtoisie AYERST)

JOUET DÉCORATIF, cheval berçant par Gérard Boileau, Mississauga, Ontario.

179

ANDRÉ BOURGAULT dans son atelier à Saint-Jean Port-Joli en 1955. À gauche, un fermier en tilleul aiguisant sa faulx. À droite, l'ébauche d'un paysan. Photographie : Chris Lund – août 1955, Information Canada, Photothèque, Ottawa. Courtoisie : Musée des Anciens Canadiens.

180

SERMON DU DIMANCHE. Bas-relief en bois de tilleul lamellé-collé aux dimensions de 1,22 m par 0,76 m. Auteur : Jean-Julien Bourgault, 1959. J'ai vu personnellement l'éclosion de cette pièce lors de mon apprentissage à son École de Sculpture à Saint-Jean Port-Joli. Cette fresque m'avait impressionné par le nombre imposant de personnages et la physionomie de notre bon curé Monsieur Le Chanoine Fleury à l'époque.   Photo : Alphonse Toussaint

181

BUFFET sculpté par Médard Bourgault en 1945. Bibliothèque-secrétaire en bois de merisier. Les panneaux sont en tilleul et représentent un ensemble thématique de la vie de l'homme. Héron : la paix. Les enfants à l'étude. L'aigle : les horreurs de la vie, "guerres". Les quatre scènes du bas : le matin, le midi, le soir et la nuit. Collection Musée MÉDARD BOURGAULT, Saint-Jean Port-Joli. Photo : Tavi.

182

UN CHEF INDIEN, Louis Jobin. Hauteur 1,80 m. Bois polychrome. Photo : P. Atman. Courtoisie du Musée de Québec.

183

ÉGLISE DE SAINT-JEAN PORT-JOLI. Décoration intérieure, une partie du chœur en bois sculpté de 1794 à 1797. Pilastres et chapiteaux de Baillargé. Bas-reliefs (entre les colonnes) par Chrysostome Perrault. Photo Conrad Toussaint. Sources d'information : Église de Saint-Jean Port-Joli, ANGELINE SAINT-PIERRE, Éditions Garneau, Québec 1977.

SEPTIÈME PARTIE

Finition et traitement

Chapitre 22

FINITIONS ET TRAITEMENTS

Ponçage

On fait usage du papier de verre lorsque la sculpture est entièrement terminée. Après cette opération, le bois contient des poussières de verre souvent incrustées et les gouges se gâtent facilement. S'assurer d'avoir complété la sculpture avant de procéder au ponçage.

Se servir d'un papier de verre de calibre 120 pour les objets ou parties nécessitant un ponçage énergique. Finir avec un papier à grain plus fin, de calibre 220. Ce dernier s'emploie généralement seul, sans calibre plus gros. Le ponçage doit être discret et ne pas laisser de traces ou d'éraflures. Frotter toujours dans le sens du fil du bois. À moins que la sculpture ne soit prévue lisse et adoucie, il est préférable de laisser des marques de gouges, caractéristique du travail *fait à la main* .

Avant tout traitement du bois, nettoyer la sculpture des poussières de verre en se servant d'une brosse très propre douce ou d'un jet d'air.

Les échardes

Des échardes apparaissent quelquefois dans la finition, que le ponçage ne suffit pas à enlever. Utiliser alors un couteau à pointe fine ou un fermoir à angle aigu. Diriger l'outil délicatement vers l'emprise de l'écharde et couper sans altérer la sculpture. Si les échardes sont minuscules et disgracieuses, utiliser un rifloir avec précaution pour ne pas changer l'aspect de l'œuvre.

Les échardes se présentent lorsque le bois n'est pas tranché suffisamment ou que le sculpteur a trop voulu creuser en cavité avec un outil ne permettant pas de couper les copeaux soulevés.

Le bois frais coupé et poncé est sensible aux taches et à la poussière. Sans plus tarder, la sculpture reçoit une protection et une finition en accord avec le caractère de la pièce, ou au goût de l'artiste.

La cire en pâte

La cire en pâte est une cire d'abeille mélangée à la paraffine pour l'entretien du bois. Elle s'applique facilement à la brosse douce ou au pinceau.

La cire en pâte pour meubles, boiseries ou planchers de bois est de couleur blanche ou jaunâtre. Pour obtenir des couleurs différentes, la

mélanger avec de petites quantités de teintures semi-transparentes ou opaques avant application.

Étendre uniformément une couche de cire sur toute la surface de la sculpture, évitant de laisser des dépôts dans les creux. Laisser sécher environ trente minutes; par temps humide, allonger le temps de séchage. Lorsque rassise, la cire laisse une pellicule blanchâtre à la surface; le polissage s'effectue à la brosse douce ou avec un linge en laine de préférence. Frotter vigoureusement pour donner un lustre brillant en prêtant attention aux parties fragiles de la sculpture. La cire en pâte protège de la saleté et conserve bien la couleur originale du bois.

Plus tard, si la sculpture est malpropre, on peut répéter l'opération en lavant d'abord la pièce de bois à l'eau tiède et au savon très doux, sans l'immerger. Se servir d'une brosse à légume. Laisser sécher correctement et cirer. Une sculpture cirée ne peut recevoir de vernis, laque ou huile.

193

La teinture

Utiliser spécialement des teintures NGR*. La teinture semi-transparente de préférence accentue les veines et les grains du bois. Plus fluide que la peinture, elle s'imprègne profondément dans le bois tendre surtout. Elle s'applique au pinceau, avec un linge ou un pulvérisateur. Un linge doux et propre enlève les surplus et uniformise les tons.

Plusieurs couleurs sont disponibles, fabriquées à base d'eau ou d'huile. Refermer hermétiquement les contenants après usage car les teintures ont tendance à se coaguler. On suggère d'avoir de petites quantités en

* NGR — non grain raising. Une teinture qui ne soulève ou ne gonfle pas le grain du bois.

réserve. Bien séchées, les sculptures teintes peuvent recevoir une couche protectrice de cire ou de vernis.

Une laque appliquée sur une teinture insuffisamment sèche peut blanchir en plaques. Si tel cas se présente, décaper le vernis avec un décapant correspondant. Utiliser un bain d'arrêt, nettoyer et recommencer l'opération de teinture. Laisser sécher au moins 24 heures avant d'appliquer le vernis.

Le vernis

Le plus populaire est le vernis cellulosique ou laque. Cet enduit contient des distillants de pétrole. Suivre les indications et les règles de sécurité indiquées par le fabricant et utiliser dans un endroit bien aéré, éloigné de toute source de chaleur.

Il a la propriété de sceller le bois. Avec le temps, les sculptures ont tendance à jaunir ou dorer selon les essences de bois. Appliquer au pinceau sans interruption, car il sèche rapidement. Poncer légèrement avant chaque application. Deux à trois couches suffisent généralement. Un solvant correspondant *thinner* sert à diluer et nettoyer les pinceaux.

L'application au pulvérisateur donnera un meilleur fini. La première couche est donnée avec une laque diluée : trois dans un. Pour les autres couches, le vernis est dilué légèrement à quatre ou cinq dans un, selon la capacité du jet propulseur.

AVERTISSEMENT. Cette méthode de vernissage requiert une chambre à peinture conçue spécialement à cette fin. Un appartement réduit mais fermé, éclairé d'une ou plusieurs ampoules électriques protégées (voir un entrepreneur en électricité), peut convenir. La chambre doit être munie aussi d'un ventilateur puissant afin d'expulser toute vapeur de vernis à l'extérieur. Le moteur électrique scellé et anti-explosion actionne le ventilateur. Vous informer auprès de personnes compétentes avant d'utiliser un propulseur à peinture et vernis et vous assurer qu'un tel usage est autorisé dans l'endroit où vous habitez.

On peut toujours se servir de contenants sous pression, en cherchant le mot *laque claire* sur ceux-ci. Le vernis est très fluide pour faciliter l'évacuation par très petites doses. C'est pourquoi les bois tendres absorbent beaucoup le vernis; une belle finition demandera plusieurs couches. Il est préférable d'utiliser ce procédé sur des sculptures en bois dur ou sur des pièces de bois tendres scellées au préalable à la laque appliquée au pinceau. Employer ces pulvérisateurs en cannettes avec les précautions indiquées par le fabriquant.

Huile

Végétale ou minérale, l'huile pénètre profondément dans le bois. Elle s'emploie surtout dans la finition de certains meubles, nourrit le bois et l'empêche de fendiller prématurément. On peut l'utiliser autant à l'extérieur qu'à l'intérieur. Certaines huiles contiennent de la térébenthine, facilitant leur pénétration dans le bois.

Appliquer généreusement l'huile sur le bois au pinceau ou avec un linge doux. Laisser pénétrer de 10 à 15 minutes. Essuyer les surplus d'huile et laisser sécher de 12 à 24 heures. Une couche de cire en pâte protège la surface du bois. Les laques ou vernis n'adhèrent pas sur les surfaces de bois traitées à l'huile.

Polychromie

Cette méthode était en usage en Égypte et en Europe, et plus près de nous dans les boiseries et statues du XVIIe au XIXe siècle. Les statues et ornements religieux étaient entièrement recouverts de couleurs opaques. Les enduits semi-transparents laissent mieux voir le grain du bois.

Pour étudier les résultats, colorier un dessin de l'œuvre à la gouache ou aux crayons afin d'évaluer l'aspect que prendra l'œuvre avant d'appliquer la peinture sur le bois.

Appliquer une couche d'apprêt blanc ou gris sur la sculpture devant séjourner à l'extérieur. Dans le cas de sculptures d'intérieur, surtout celles devant être enduites de couleurs semi-transparentes, déposer les couleurs directement sur le bois. Laisser sécher correctement. Un vernis est appliqué afin d'uniformiser le lustre des couleurs. Cette opération n'est pas nécessaire si le brillant des coloris est uniforme. Les pièces de bois installées à l'extérieur sont enduites d'un vernis marin ou hydrofuge.

Le forgeron: Sculpture en pin finie à l'huile. Les nervures du bois sont accentuées. Huile de lin diluée à la térébenthine : dosage de 50-50. Appliquer sur toute la surface et essuyer énergiquement jusqu'à l'obtention des parties claires et foncées des anneaux du bois.

Le bûcheron sculpté en cèdre lamellé-collé et polychromé de Laurent Fortin orne l'entrée de l'atelier Gérard Fortin à St-Jean Port-Joli, le tronc de l'arbre est naturel.

Ce "paysan", œuvre de Paul-Émile Caron de St-Jean Port-Joli, a été polychromé avec des enduits pour résister à l'extérieur.

HUITIÈME PARTIE

Sujets particuliers

Chapitre 23

FANTAISIES DE LA GOUGE

Fantaisies de la gouge

La gouge trace un canal de la forme de sa conception (le pas), mais les possibilités de chacune sont nombreuses. Ayant acquis une souplesse dans l'exécution, des dessins et des textures apparaissent magiquement, dépendamment de l'outil.

Rose

Commencer au centre de la rose avec un burin légèrement penché et faire ressortir les pétales en augmentant leur volume progressivement. Creuser profondément autour de la fleur.

Faire danser le taillant d'une méplate sans soulever trop de bois à la fois. Croiser en reprenant
le même mouvement dans l'autre sens. La
texture aura l'apparence d'un quadrillage :
filet, tissu, etc.

Dessin au crayon; ouverture de l'œil et surface laissée convexe; paupière; tour de l'œil;
plis et iris.

 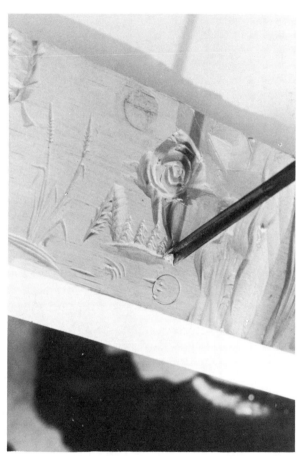

Végétation exécutée au burin. Les graines de la plante sont apparues en soulevant l'outil à 80° et en continuant le trait en zigzag.

Sapins. Burin renversé; déchiqueter le bois en zigzag, de la cime vers le tronc en augmentant le volume. L'outil à la verticale, angle de 80°.

Manipulation des gouges

Droit à plat, travail de finition. La gouge enlève peu de bois à la fois et le sculpteur approche la surface de la **"sculpture"** petit à petit jusqu'à la limite finale.

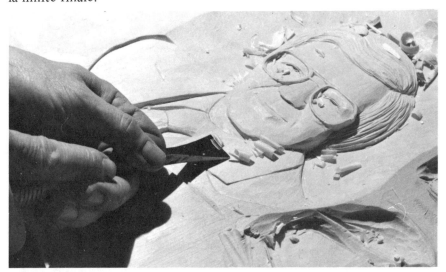

Position renversée sans se déplacer du champ de vision du travail. Essayer ces positions sur des blocs d'essai.

La paume de la main frappe le manche de la gouge pour un travail léger.
Le maillet cogne plus fort lorsqu'il y a nécessité de couper ou d'enlever
de plus grosses quantités de bois.

Cheveux, barbe. Une gouge creuse prépare les premières ondulations. Une seconde gouge creuse, de plus petite taille, sépare les ondulations et raffermit les boucles ou frises. Le burin fait apparaître les poils ou cheveux en suivant la direction des mèches de cheveux vers leurs points d'origine. Manipuler le burin exactement comme si vous aviez à dessiner sur papier à l'aide d'un crayon.

RELIEF

Remarquez attentivement les principes de base employés dans un relief.

Le dessin.

Le sculpteur cherche à rejoindre l'arrière-plan en dégageant le plus de bois possible autour des personnages.

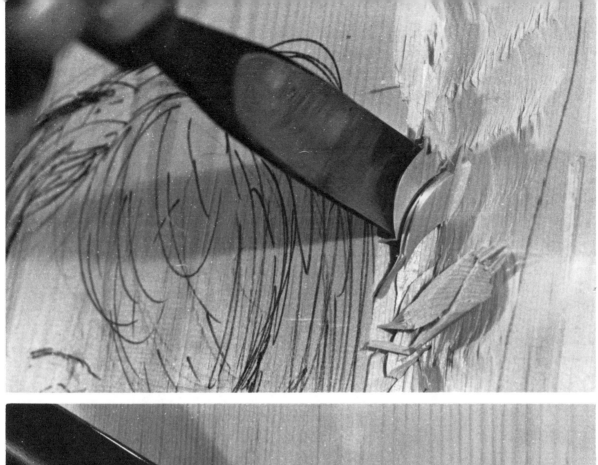

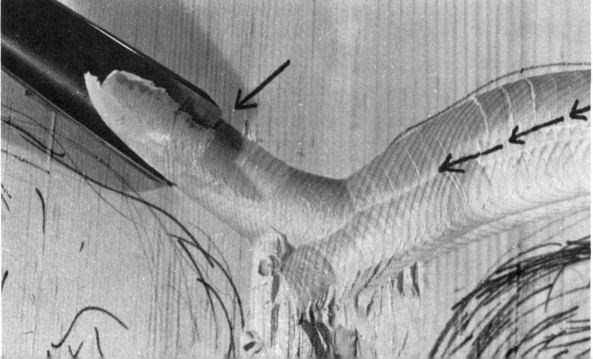

Dégrossissage

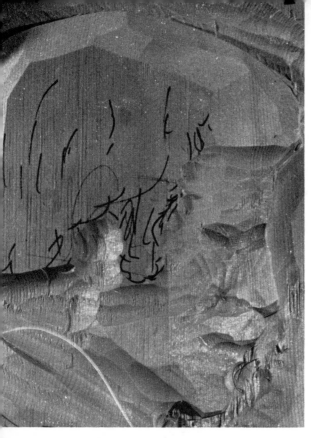

Ébauche du visage

Modelage

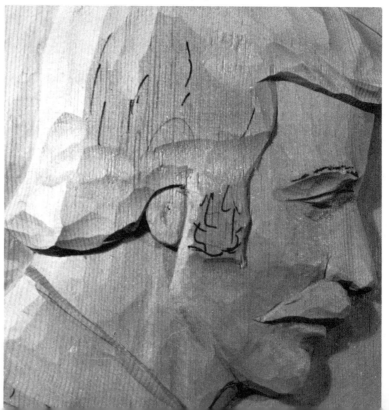

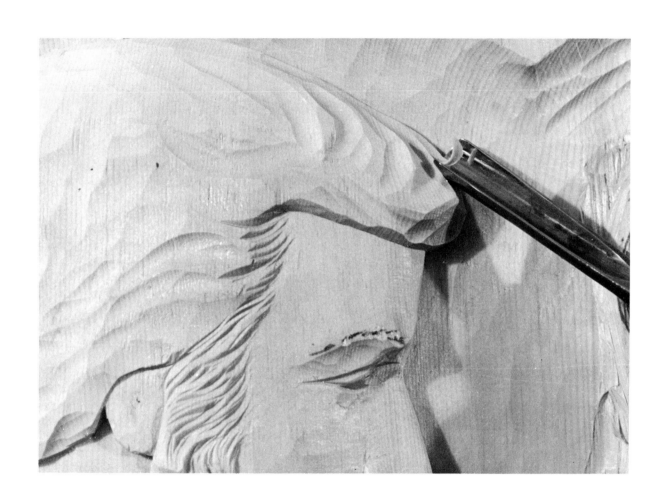

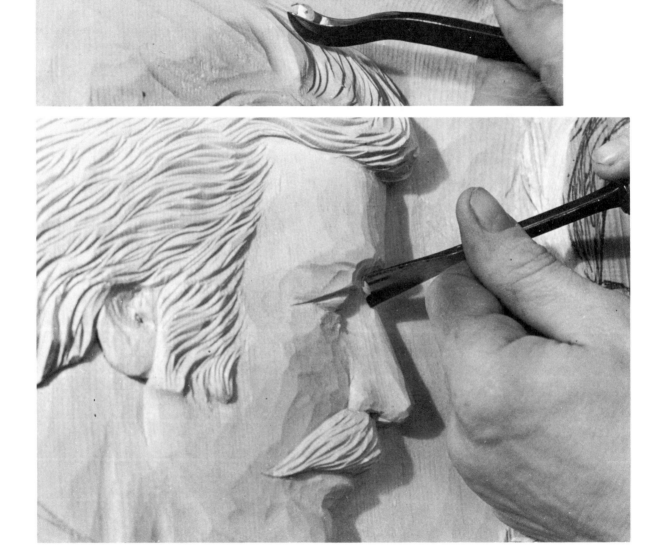

Chapitre 24

ANOMALIES

Pièces salies

Beaucoup de débutants se plaignent de la saleté de leurs sculptures. Cet inconvénient provient du fait que la pièce de bois demeure trop longtemps au contact des mains. De plus, la moiteur des mains, souvent due à la crainte d'un échec, alliée au métal de l'outil, entraînent des dépôts graisseux sur le bois.

Le nettoyage par ponçage aurait pour effet d'étendre et d'imprégner davantage la saleté. Il est préférable de repasser la gouge. Une bonne hygiène des mains, surtout en les gardant sèches, vous aidera à maîtriser cette lacune. Éviter le plus possible tout contact des mains sur les parties fraîchement terminées. Cette anomalie disparaîtra avec la pratique.

Un nœud surprise

Même si, en apparence, la pièce de bois semble parfaite, un nœud ou défaut majeur peut surgir durant l'ébauche. Continuer à creuser légèrement afin de dégager cette anomalie. Si son volume augmente au lieu de diminuer et qu'il nuit à la beauté de la pièce, mieux vaut abandonner. C'est la raison pour laquelle il est recommandé de dégrossir entièrement la pièce et, s'il se produit une telle mauvaise surprise et qu'il faille s'en départir, vous n'aurez pas travaillé inutilement trop longtemps.

Quelquefois, certaines taches ou nœuds fermes n'altérant pas la sculpture peuvent y demeurer si une teinture ou une finition polychromée est prévue.

Taches de colle

Toute trace de colle doit disparaître de la surface de la sculpture. Séchée, la colle durcit et laisse une pellicule souvent difficile à poncer. Ces taches semblent disparues parfois et redeviennent visibles après une couche de vernis ou teinture. Enlever à la gouge ou au couteau les surplus de colle avant d'appliquer tout traitement.

Fendillements

Le bois fendillé donne de mauvais résultats. Évitez-le. Si toutefois un fendillement se produit, durant ou après l'exécution, il est possible que le bois contienne encore une certaine quantité d'eau.

D'autres fentes peuvent surgir. Sans aggraver l'apparence de la sculpture, on peut corriger en insérant dans les fentes une éclisse de bois de même teinte. Coller, presser et laisser sécher. Enlever le surplus de l'éclisse et aplanir à la gouge.

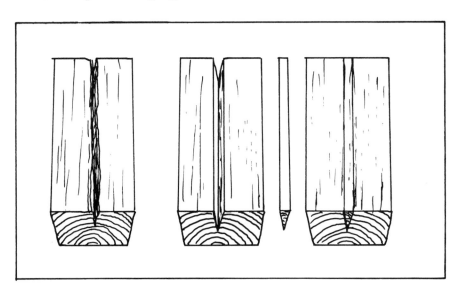

Cassures

On peut provoquer une cassure par une trop forte pression sur la gouge ou accidentellement sur une partie essentielle de la sculpture. Vérifier la netteté de la fracture. Coller en replaçant les morceaux exactement à l'endroit d'origine. Fixer solidement les pièces jointes avec un support approprié ; épingles, petit clous ou élastiques. Lorsque l'emplacement le permet, les brides de collage maintiennent fermement les pièces à coller et laissent un joint presque invisible.

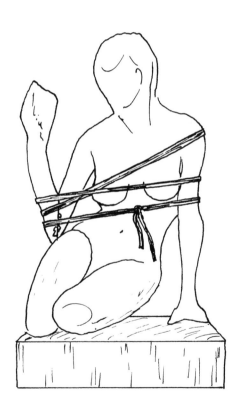

Soudure

Une sculpture exécutée dans un bloc de largeur insuffisante peut se réaliser sans la préoccupation du manque de matériel. Aussitôt l'emplacement localisé procéder à la soudure. La pièce de bois ajoutée doit être de même teinte et les fibres dans le même sens que la sculpture principale. Les surfaces à coller doivent être propres et planes. Percer en ligne droite un trou de mèche dans chaque partie. Insérer une pièce de bois ou de métal avec de la colle. Mettre en place la partie ajoutée en la retenant solidement avec des serre-joints ou par tout autre moyen improvisé. Presser fortement.

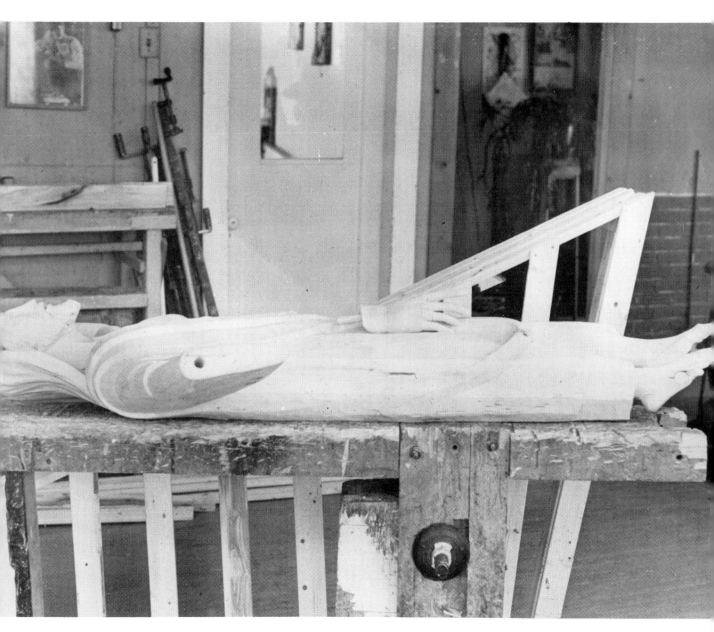

Corpus en bois de tilleul dans l'atelier Médard Bourgault, à Saint-Jean Port-Joli.

Chapitre 25

ANCRAGE

Perforation

Pratiquer une ouverture de 3/8" de diamètre à l'arrière de la murale, au centre de gravité, car un relief sculpté peut contenir un volume de bois inégalement partagé. Donc, le trou d'ancrage n'est pas nécessairement au centre. Perforer vers le haut, à une profondeur raisonnable, sans atteindre la surface de la partie sculptée. Un clou au mur reçoit la murale.

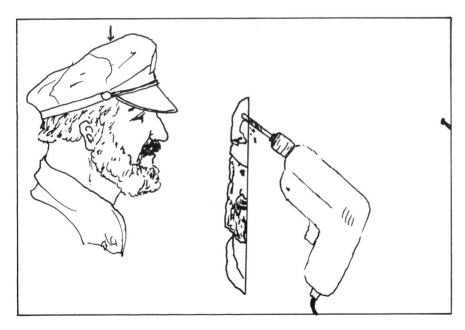

Les sculptures plus lourdes sont fixées au mur à l'aide de crochets ou de supports sécuritaires. Pour une meilleure stabilité, deux attaches ou plus retiennent la pièce au mur.

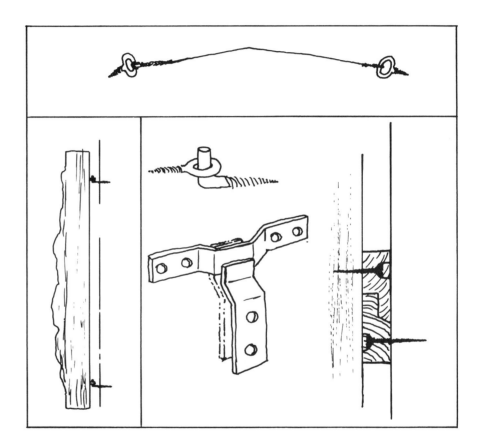

En premier lieu, s'assurer de la composition du mur et des endroits sûrs. Calculer les distances des crochets en tenant compte de la surface du tableau. La grosseur de la quincaillerie varie selon le poids de la sculpture.

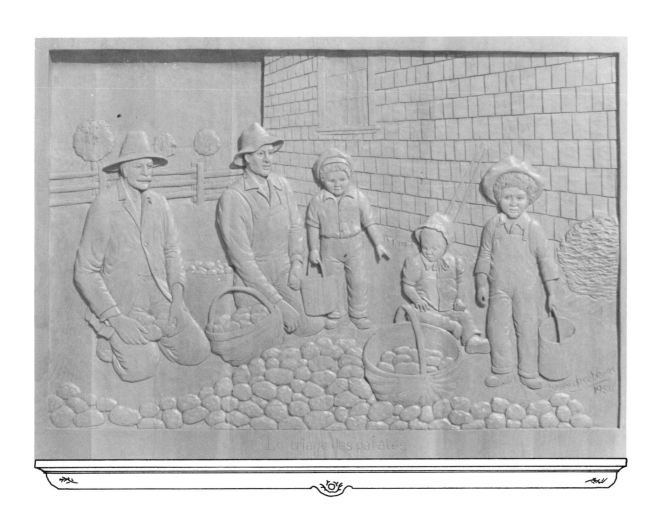

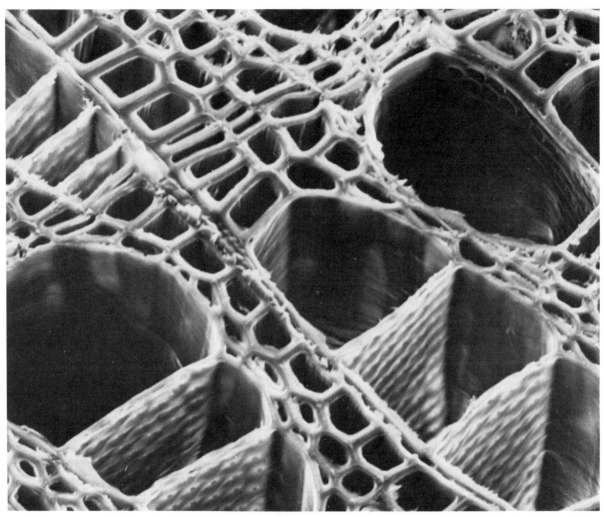

Photographie prise au microscope électronique à balayage (600x) d'une section transversale de peuplier faux-tremble.

Reproduit avec la permission du Ministère des Approvisionnements et Services Canada.

Différentes sortes d'arbres et d'arbustes

Ces arbres et arbustes ont des couleurs et des caractéristiques différentes. Quelques-uns ont des fonctions précises, tel le bois de bruyère
qui sert à la fabrication des pipes sculptées. Le sumac, ou *vinaigrier*,
présente des nervures prononcées souvent exploitées en bijouterie de
bois, nue. Plusieurs petits arbustes d'essences différentes servent à la
fabrication d'objets miniatures. Le bois de chêne rendra les sculptures
résistantes.

Acacia
Acajou d'Afrique
Acajou d'Inde
Aune jaune
Abricotier

Balsa
Bouleau blanc
Bouleau jaune
Bouleau gris
Bois de rose du Brésil
Bruyère

Catalpa
Cèdre d'Alaska
Cèdre aromatique
Cèdre rouge
Cerisier
Châtaignier
Chêne rouge
Chêne blanc
Chêne noir de Californie
Cïgue
Cyprès

Ébène indien
Ébène africain
Érable à sucre
Érable argenté

Figuier doré
Frêne blanc
Frêne noir

Gaïac

Hêtre
Houx

If

Laurier

Magnolia
Manguier
Mélèze
Mûrier

Nerprun
Noisetier
Noyer blanc
Noyer cendré
Noyer noir d'Amérique

Orme
Osier

Palmier
Pêcher
Pin blanc
Pin gris
Pin rouge
Pin jaune
Pin argenté
Pin sucré
Peuplier baumier
Peuplier faux-tremble
Pommier
Prunier

Quinquina (Pérou)

Robinier jaune ou noir
Robinier miellé

Sapin blanc
Sapin argenté
Sapin rouge
Saule
Sumac
Sureau
Sycomore

Tamarin
Teck
Tilleul
Thuya géant
Thuya occidental

Le défi

Le défi du sculpteur est d'interpréter ou de créer ses œuvres dans un style qui lui est propre. Chacun a sa "manière de faire". La patience est de rigueur, surtout durant la période d'apprentissage. On ne se lance pas dans un marathon sans avoir subit un entraînement au préalable.

Perçu comme une "détente", ce métier vous donnera satisfaction. Le résultat anticipé n'est pas toujours à l'image de l'effort. Même les plus expérimentés ne sont jamais entièrement satisfaits.

Montrez votre travail à votre entourage. Échangez sur le plan métier. Acceptez la critique constructive, car elle "fouette" l'artiste et l'aide à s'autocritiquer lui-même. Les résultats ne sont pas toujours égaux au début. Tantôt frustré, tantôt heureux, "C'EST LE MÉTIER QUI ENTRE".

La mise en marché

"La mise en marché couvre l'ensemble des opérations commerciales qui concernent un produit depuis la manifestation de sa nécessité jusqu'à son acquisition par l'acheteur."[1]

Les goûts du public changent. Le sculpteur fonctionne-t-il par intuition? Une chose est certaine : le goût du "fait à la main" sera apprécié de la population aussi longtemps que cette dernière vivra dans ce monde mécanisé.

---

1. L'industrie des Métiers d'art au Québec, Yvon Leclerc/Michel Nadeau.

Adalbert Thibault, sculpteur.

Buste d'un marin par Benoi Deschênes.

benoi deschênes. 1982.

232

Benoi Deschênes
1981

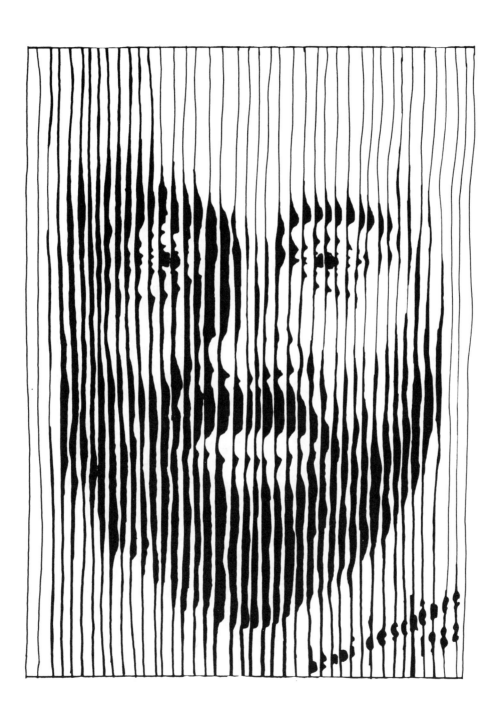

PETIT LEXIQUE

accent : Marque, signe, trait pour en préciser la valeur.

arabesques : Peinture ou sculpture inspirée de l'art musulman. Ligne reliant les éléments d'une composition.

argile : Roche sédimentaire avide d'eau, terreux, imperméable. Sert à la fabrication de briques, poteries, céramique, modelage.

art : Manière de faire une chose selon les règles. Ensemble d'une œuvre artistique d'une époque, d'un pays.

assemblage : Réunion de plusieurs pièces collées ne faisant qu'un tout.

bas-relief : Oeuvre sculptée dont les figures sont en saillie légère.

bille : Premiers tronçons pris dans la partie importante de l'arbre.

biseau : Taille oblique. Inclinaison du tranchant d'un outil.

bois-blanc : Mot populaire pour identifier le tilleul.

bois-chauffé : Qui présente des signes de pourriture due à un manque d'aération lors du séchage.

bois-vert : Bois d'arbre frais coupé encore gonflé par l'humidité.

brute de sciage : Se dit du bois scié laissé sans polissage.

cambium : Partie mince génératrice de l'arbre entre le liber et l'aubier.

chauffer : Augmentation de la chaleur du métal durant l'aiguisage des outils.

contre-coudée : Gouge coudée inversée. "Cuillère renversée".

contour : Ligne qui marque le tour d'un corps ou d'une surface désignée.

coudée : Gouge formée d'une tige droite dont la partie creuse du canal est recourbée en forme de "cuillère".

croquis : Dessin sommaire fait à main levée.

cubisme : École d'art qui se proposait de représenter les objets sous formes géométriques. Voir Picasso, Braque.

d'après nature : À l'imitation de, selon la nature, en prenant celle-ci comme modèle.

dégauchir : Raboter la surface d'une pièce de bois. Planer.

dentelure : Ornement en forme dentelée. Découpé en forme de dents.

essence : Qui constitue la nature d'une espèce de bois.

expression : Manifestation de la pensée, du sentiment par dessin, la sculpture, etc.

fermoir : Ciseau droit ou en pointe aiguisé sur les deux faces (nez-long).

fibres : Cellules allongées constituant certaines substances tel que le bois.

figurines : Petites statuettes.

fil : Direction générale des fibres dans un morceau de bois par rapport à l'axe de l'arbre.

gouge : Ciseau creusé en forme de canal servant à faire des entailles et des moulures dans le bois.

grain : Inégalité et ramage sur la surface du bois.

grume : Tronçon d'arbre coupé en différentes longueurs, ébranché et recouvert de son écorce.

lamellé-collé : Plusieurs pièces de bois massives (lamelles) disposées et collées côté à côté avec le fil du bois dans le même sens. Mot populaire : laminé.

mobile : Objet d'art en mouvement. Les mobiles de Calder.

morfil : Se dit des petites parcelles de métal encore attachées au tranchant après l'aiguisage à la meule.

murale : Toute pièce destinée à orner un mur.

nœuds : Partie d'une branche comprise dans le bois suite à la formation de cette dernière.

pas : Pas de l'outil. Forme du tracé obtenu correspondant au passage de ce dernier.

perspective : Présentation d'objets tels qu'apparaissant vus à distance dans une position donnée par rapport à l'œil.

poche de résine : Certaine quantité de résine contenue dans une cavité dans le bois solide tel que le pin.

ponçage : Action de polir la surface du bois en utilisant du papier de verre. Mot populaire : sabler, papier sablé.

prise de colle : Effet d'un adhésif à la suite de réactions chimiques afin d'acquérir une force d'adhération.

queue de poisson : Gouge de forme triangulaire allongée. Mot populaire : spatule.

raboter : Dégauchir. Redresser une pièce de bois déformée par un procédé mécanique ou manuel. Corroyer.

relief : Ensemble des inégalités de la surface d'un tableau. Saillie de surface plus ou moins élevée en bosse. Nom donné à un tableau sculpté en relief.

ronde-bosse : Ouvrage à trois dimensions sculpté sur toutes ses faces.

rosace : Ornement en forme de feuillages, groupe symétrique et inscrit dans un cercle.

stabile : Montage ou assemblage fixe.

statue : Figure de plein relief représentant un être.

stéatite : Talc. Roche métamorphique. Pierre à savon.

surchauffe : Porter le métal de la gouge à une température trop élevée, qui risque de lui faire perdre son trempage.

trempe : Opération qui consiste à refroidir rapidement un outil rougi au préalable au feu de forge dans un liquide froid afin de lui donner un traitement thermique.

tronçonneuse : Scie servant à couper en tronçon. Mot populaire : scie mécanique ou scie à chaîne.

vernissage : Présentation des œuvres et fête de l'artiste la veille de son exposition.

Bibliographie

BARBEAU, Marius
Au Cœur du Québec, Les Éditions du Zodiaque, Montréal, 1934.

BERGIN, E.G.
Défaillances des joints collés, leur causes, leur prévention, Direction générale des forêts, Ottawa, 1967.

CHEVALIER, Jacques
La sculpture sur bois, Édition J.B. Baillière, Paris, 1972.

DUHAMEL, Alain
Gens de bois, illustrations Benoi Deschênes, Éditions Port-Joly, 1975.

EDWARDS, I.E.S.
Treasures of Tutankhamun, Ballentine, N.Y., 1979.

HUYGHE, René
L'art et l'homme, Tomes I-II-III, Librairie Larousse, Paris, 1961.

JOHNSTONE, James B.
Wood Carving, Techniques & projets, Sunset Editorial Staff., California, 1971.

LACOMBE, M.S.
Sculpture sur bois, Éditeur Léonce Laget, Paris, 1977 (réimp. 1968).

LECLERC, Yvon et NADEAU, Michel
L'industrie des métiers d'art au Québec, Édition Formart Inc., Québec, 1972.

LION, Henry
Sculpture for beginners, Walter T. Foster, Californie.

MATTHEWS, John
Creative Wooden Toy Making, Hawthornes of Nottingham Ltd, Angleterre, 1974.
Pictoral Woodwork, J.D. Kerr, Vol. 1-2-3, Edward Arnold Ltd, 1963, 1964, 1967.
Creative Light Wood Carving, Edward Arnold Ltd, 1968.
Further Creative Light Wood Carving, Edward Arnold Ltd, 1970.
Creative Log Sculpture, Heinemann Educational Books Ltd, London, 1969.
How to become one, Hawthornes, Nottingham, 1973.

MULLINS, E.J. et McKNIGHT, T.S.
Les bois du Canada, leurs propriétés et leurs usages, Les Éditions du Pélikan (Québec), 1981, et le Service canadien des forêts et le Centre d'édition du gouvernement du Canada.

SAINT-PIERRE, Angéline
    Médard Bourgault, sculpteur, Éditions Garneau, Québec, 1972.
    L'œuvre de Médard Bourgault, Éditions Garneau, Québec, 1973.
SIMARD, Cyril
    Artisanat québécois, I. Les bois et textiles, Les Éditions de l'homme, Montréal, 1975.
TRITTEN, Gottfried
    Éducation par la forme et la couleur, Éditions Delsa s.a., Éditions Plantyn s.a., 1969.
TANGERMAN, E.J.
    Design and Figure Carving, Dover Publication Inc., N.Y., 1940.
    Whitting and Woodcarving, Dover Publication Inc., N.Y., 1936.
    The Modern Book of Whitting and Woodcarving, McGraw-Hill Book Co., N.Y., 1973.
VAILLANCOURT, Émile
    Une maîtrise d'art en Canada, Libraire-Éditeur G. Ducharme, Montréal, 1920.
Gouvernement du Québec, Rexfor
    Travailleurs Attentionnez-vous
Laboratoires des produits forestiers de l'est, Environnement Canada, Service des forêts
    Apprêt de produits de bois au moyen de système à base d'eau, R.L. Desai, A.J. Dolenko et M.R. Clarke, 1974.
    Un simple traitement superficiel permet au bois de résister aux invasions fongique, R.L. Desai et M.R. Clarke, 1973.
    Les colles à bois, R.W. Peterson, 1965.

AGMV
MARQUIS

Québec, Canada
1998